コンテンツホルダーのための

ChatGPT

超入門

山田 稔
Yamada Minoru

太陽出版

はじめに

　はじめまして、山田稔と申します。あなたがこの書籍を手に取ったこと
は、すばらしいコンテンツを持っているが、それを如何に形にするか、そ
してその形にしたコンテンツをどのようにブランディングし、マーケティ
ングし、最終的にはマネタイズするかという、大切な問いに直面している
ことと思います。

　本書は、その問いに対する答えを見つけるためのガイドとなります。そ
して、そのガイドとしての役割を果たすのが、人工知能であるChatGPTで
す。この強力なツールは、あなたのコンテンツを形にし、それを効果的に
伝えるための手助けをします。

　具体的には、ChatGPTの効率的な活用法から始め、セミナーや講座の構
築、Kindle出版や商業出版でのブランディング、ブログやSNSでのマーケ
ティング、そしてSNS広告やセールスページでのマネタイズへと進んでい
きます。

　本書は、実践的な内容を前提としています。それぞれの章で、ChatGPT
を活用した具体的な方法とその実例を提示し、自身で試してみることを推
奨しています。また、読む順番に決まりはありません。あなたが現在直面
している課題や興味のある節から読み進めていただいても構いません。

　しかし、それぞれの章や節は他の部分と連携しています。たとえば、セ
ミナーや講座を構築するスキルは、Kindle出版や商業出版にも活かせます。
また、ブログやSNSでのマーケティングは、SNS広告やセールスページの
効果を高めるための重要な要素です。

　このように、一見個別のテーマに見えるものが、実は相互に連携し、補
完し合っているのです。これを理解していただくことで、本書から最大の
価値を引き出すことが可能となります。

　それでは、素晴らしいコンテンツを持つあなたが、それを形にし、さら
にはそれを通じて価値を創出できることを心から願っています。

2023年6月吉日

山田　稔

CONTENTS

CHAPTER 02 ChatGPTを使い倒してみよう

CHAPTER 03 ChatGPTでセミナーや講座を構築する

CHAPTER 04 ChatGPTでKindle出版や商業出版をする

CONTENTS

CHAPTER 05 ChatGPTでブログや SNSに投稿する

CHAPTER 06 ChatGPTでSNS広告やセールスレターを作る

読者特典

本書で紹介したChatGPTとのやり取りを
PDFでプレゼント!

本書で紹介したChatGPTとのやり取りをPDFでプレゼント
いたしますので、該当箇所をご自身の内容に差し替えて、
コピー&ペーストしてお使いください。

同じようにChatGPTへ指示をすれば、 あなたもコンテン
ツビジネスが簡単にはじめられます。

プレゼントの受け取りはこちらから。
https://1lejend.com/stepmail/kd.php?no=673429

ChatGPT
CHAPTER
01

コンテンツホルダーにこそ
ChatGPT

ChatGPT SECTION 01 ただコンテンツを持っているだけではもったいない理由

▶ 良いコンテンツの未活用は宝の持ち腐れ

　たくさんの人が素晴らしいコンテンツを持っているのに、上手く活用できないことがよくあります。それは、自分が持っているコンテンツにどれだけの価値があるのか、どれだけの人のお役に立てるのかをちゃんと分かっていないからです。

　でも、それらを共有することで、自分も成長できるし、ビジネスも大きく拡大します。そして、さらに新しい視点やアイデアを見つけることもよくある話しです。他の人の知識や経験に触れることで、自分の考え方も広がり、さらに価値のあるコンテンツを作ることができるでしょう。

　コンテンツを形にすることで、その価値は最大限に引き出せます。例えばセミナーや講座などいろいろな形でコンテンツを提供することで、たくさんの人に届けることができます。そして、これによってお金を稼ぐことも可能です。

　他にもお金を稼ぐ具体的な方法や戦略には、会員制のサービス、コンサルティング業務などがあります。これらの方法をうまく組み合わせて、自分のコンテンツを最大限に活用し、収益を上げる方法を考えてみましょう。

▶ コンテンツを活用してブランディングと知名度向上

　コンテンツを出版することで、自分のイメージやブランドを作ることもできます。これにより、自分の価値が上がり、もっとたくさんの

人に知ってもらえるようになります。ブランディング戦略では、ターゲット層や市場をはっきりさせ、自分の強みや個性をアピールすることが大切です。

また、コンテンツを活用して、興味を持ってもらえるような人間関係を作りましょう。ブログやSNSなどを使って、自分のコンテンツを発信することで、さまざまな人と繋がり、ビジネスのチャンスを広げることができます。

▶ コンテンツを活用したビジネスモデルの構築

コンテンツを基本にしたビジネスモデルを作ることで、継続的な収入を得ることができます。継続的な収入は、経済的な安定をもたらし、自分の成長やビジネスの拡大を支える力となります。そして、拡大することで、新しい収入の方法を見つけたり、さらなる成長が可能です。

まずは、自分のコンテンツを核としたビジネスモデルを考えてみましょう。

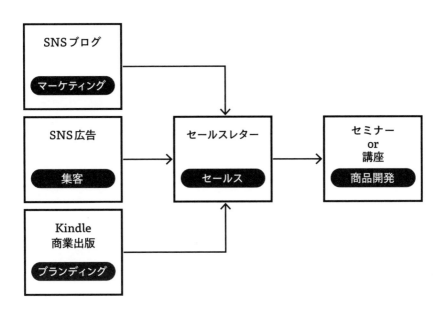

こうした取り組みを通じて、ただコンテンツを持っているだけでなく、それを活用することでたくさんの価値を生み出すことができます。そして自分のコンテンツを広め、収益を上げるだけでなく、自分の価値やブランドを高め、ビジネスのチャンスを増やすことが可能です。そしてそれによってさらなる収入を得ることができ、経済的な安定やさらなる成長へと繋がるスパイラルを生み出します。

ChatGPT SECTION 02 コンテンツを形にするために 言語化・文章化の重要性

▶ コンテンツを口伝えで伝え続けることの限界

　情報を人から人へと口伝えで伝える方法は、効率が悪く誤解や認識のずれが生じやすくなります。口で話すと話す度に内容が変わることがありますし、正確さも失われがちです。さらに口伝えでの情報伝達は届く範囲に限りがあり、たくさんの人に広めることが難しくもあります。だからこそ、情報を正確かつ効率的に伝えるために言語化・文章化が大切なのです。

　あなたのコンテンツを言語化・文章化を行うことで、情報が正確に伝わり、届く範囲も格段に広がることでしょう。

▶ コンテンツを言語化・文章化することの手順

　コンテンツを言語化・文章化するためには、次のような手順があります。

コンテンツ作りの手順

1. 考えたり、得た情報を整理する
2. 誰に向けて、何のために書くのかをはっきりさせる
3. 情報を書き出して言葉にする
4. 書き出した言葉を整理して、体系化してコンテンツにする
5. 体系化したコンテンツを文章にまとめる
6. 見直して、直すところがあれば直す

言語化・文章化をするためには、まず自分が考えたり、得た情報を整理します。そしてその情報を誰に向けて何のために書くのかを決めます。これがいわゆるコンテンツのコンセプトいうものです。次にそのコンセプトにしたがい、情報を書き出して言語化していきます。そして、書き出した言葉を整理して、体系化し、コンテンツとして昇華させます。今度はできあがったコンテンツを文章化して形にしていきます。最後にチェックして見直し、完成です。

　コンテンツのクオリティを高めるためには、上手なライティングテクニックと分かりやすく説得力のある文章の構成方法が大切です。具体的なライティングテクニックとしては、シンプルな言葉を使い、読み手にスムーズに伝わる文章を心がけることや、具体例やデータを使って説明することで説得力を高めることができます。文章の構成方法に関しては、情報を整理し論理的な順序で伝えることが大切です。また、見出しや段落を使って情報を分かりやすく整理し、重要なポイントを何度も繰り返して述べることで理解を深めることができます。

▶ コンテンツを広めるための戦略

　コンテンツの作成の過程で情報が整理され、どんどんコンテンツが明確になっていきます。そして、言語化・文章化したことで伝達効率がよくなり、情報が正確に伝わるはずです。さらに、情報が保存・再利用できるようにもなり、知識がたまっていくことになります。そして、文章をインターネットで公開することで、届く範囲を格段に広げることができ、たくさんの人にコンテンツを届けることが可能になります。

　よりたくさんの人にコンテンツを届けるためには、読者ターゲットやプラットフォームに合わせた文章作成が必要になります。具体的には、読者の興味・関心や課題に対応した内容を提供し、読者が共感できる言葉を使って文章を書くことが効果的です。また、プラットフォ

ームごとに最適な文章の長さや形式を意識して作成することで、より多くの人々にコンテンツを届けることができます。

▶ ビジネス加速のためには言語化・文章化は必須

　ビジネス加速のためには、コンテンツの商品化をしなければなりません。そして、そのコンテンツの価値を明確にして、その魅力や価値を読者に伝える必要があります。そして読者を獲得するためには、読者にとって価値のある情報を提供することで信頼関係を構築し、ファン化しておかなければなりません。もちろん、コメントやメッセージを通じてコミュニケーションを図り、つながりを強化することも重要です。

　これらのことのすべてに言語化・文章化のスキルが必要になります。

ChatGPT SECTION 03 形にしたコンテンツを マネタイズする流れ

▶ コンテンツを活用して商品開発

　皆さん、セミナーや講座を受講したことはありますか？　多くのセミナーや講座では、私たちが学びたいビジネススキルや知識を効果的に教えてくれるものがほとんどです。コンテンツの商品開発では、この「学びたいビジネススキルや知識を効果的に教えてくれるもの」でなくてはなりません。そのためには、「誰の」「どんな悩みや欲求を満たすために」「何を、どうやって教えるのか」を明確にすることでコンセプトを整え、そのコンセプトに応じてコンテンツを言語化・文章化していくことになります。

　講座の場合、コンテンツの言語化・文章化だけではなく、内容をきちんと整理して、効果的なカリキュラムを作ることも求められます。

▶ コンテンツを活用してブランディング

　コンテンツを商品化してリリースする時には、そのコンテンツの価値がしっかりと伝わり、信頼度が高まるようにしっかりとブランディングしておきましょう。ブランディングするには、Kindle出版や商業出版がお勧めです。出版することで、専門知識や経験をアピールするだけでなく、ブランディングの一環としても役立ちます。

　ブランディングで大切なポイントは、読者からの信頼度が高まることで、集客や商品販売につながりやすくなることです。そのためにも自分だけのメッセージや価値観をアピールし、読者に共感してもらうようにしましょう。

▶ コンテンツを活用してマーケティング

　集客するためには、自分の商品の存在を知ってもらわなくてはなりません。そこで、ブログやSNSを使って、情報を発信しましょう。各プラットフォームに合った情報を発信することで、たくさんの人に自分のコンテンツの存在に気づいてもらえます。例えば、Twitterでは短いメッセージで情報を発信し、Instagramでは見た目の楽しい投稿をしましょう。さらに、ブログはSEO対策を行うことで、検索エンジンからのアクセスも増やすことができます。

▶ コンテンツを活用してセールス

　最終的にマネタイズするためには、商品をご購入いただく必要があります。ご購入いただくためのセールスとして、ネットにSNS広告を出稿してみましょう。商品のターゲットに合った属性に広告を配信できます。広告配信をうまくやることができれば、コストパフォーマンスはかなり良くなります。そして、その広告で誘導する先のセールスページの成約率を高めることで、購入への道筋を明確にすることができます。

　これらの要素をうまく組み合わせることで、コンテンツの価値を最大限に引き出し、お金を稼ぐことができます。商品開発からブランディング、集客、セールスまで、一貫した取り組みを心掛けることが成功へのカギとなります。

ChatGPT SECTION 04 コンテンツホルダーの ための商品開発

▶ 商品開発の目的とセミナーや講座の重要性

　商品開発の目的は、顧客のニーズに対応した価値を提供し、自社の売上や利益を向上させることです。

　セミナーや講座は、あなたの知識やスキルをコンテンツ化した上で提供することで、より顧客に商品の価値を感じてもらいやすくなり、お申し込みいただくことが可能です。また、セミナーや講座を通じて顧客と直接コミュニケーションを図ることができるため、顧客満足度やブランドイメージを向上させることができ、リピートや口コミなどによるさらなる収益が期待できます。

▶ セミナーや講座のコンセプト設定

　セミナーや講座のコンセプト設定は、ターゲットの悩みを解決する内容や、欲求を満たすことが重要です。そのためには、何をどうするのかという知識やスキル、ノウハウをコンテンツとしてまとめ、提供することが求められます。また、ここでターゲットを明確にすることで、効果的なプロモーションやカリキュラム設計が可能となります。

▶ セミナーや講座の内容を決める

　まず、セミナーや講座の形態にはオンラインとオフラインがあります。オンラインはウェビナーや動画などがあり、オフラインは対面のセミナーやワークショップがあります。その選択基準としては、ター

ゲット層の属性や予算、実施場所などを考慮し、最も効果的な形態を選ぶことが重要です。

その上で、カリキュラムを設計していきます。参加者が目標を達成するためのステップを明確にしましょう。そのためには、ステップごとの学習目標や到達目標を設定し、それらを達成するための具体的な内容や進め方を計画することが必要です。また、参加者の理解度や進捗状況を確認するための評価方法やフィードバックの仕組み、サポート体制なども考えておきましょう。これにより、参加者が自身の成長を実感できるとともに、講座の効果を最大限に引き出すことができます。

▶ 効果的な資料・教材の作成方法

資料や教材は、参加者が理解しやすく、学習効果を高めるものであることが求められます。まず、視覚的にわかりやすいデザインやレイアウトを用いることが重要です。また、簡潔で分かりやすい文章を心がけ、専門用語は適切に説明しましょう。さらに、参加者が実践できるような具体的な例や課題を盛り込むことで、理解度を向上させることができます。

もし、資料・教材を動画で用意するのであれば、講師としてのプレゼンテーションスキルも欠かせません。まず、明確で簡潔な言葉で説明することを心がけ、適切なトーンやスピードで話すことを意識しましょう。また、視線や身振りを使ってコミュニケーションを図り、参加者の反応を意識しながら柔軟に対応することが求められます。自分自身の経験やエピソードを交えることで、参加者との共感を生み出し、より深く内容を理解させることも可能です。

ChatGPT SECTION 05 コンテンツホルダーのためのブランディング

▶ ブランディングの重要性とその効果

　セミナーや講座をリリースする場合、ブランディングは大切なポイントです。

　ブランディングとは、自分の作品や考え方のイメージを高め他の人との差別化を図り、内容の信頼度を高めることです。きちんとしたブランディングをすることで、読者に信用され、あなたの商品を選んでもらえるようになります。さらに、良いブランディングは、多くの素晴らしいお客様とのご縁を結んでくれることでしょう。

　そんなブランディングを成功させるために、是非とも出版をしてください。出版といってもKindle出版と商業出版などがありますので、しっかりとその違いを把握してから取り組むようにしましょう。

▶ Kindle出版と商業出版の違い

　Kindle出版と商業出版は、それぞれの特徴があります。

　Kindle出版は、自分だけで電子書籍を出す方法で、値段や売り方などすべてを自分で決められます。しかも、出版までの時間が短くて、お金もかからないので、誰でも簡単に出版することが可能です。なので、簡単にファンと収益を獲得できます。ただし、誰でも簡単に出版することが可能であるがゆえに、ブランディング効果は限定的なので注意しましょう。

　商業出版は、出版社にコンテンツの価値を認められることで、書店に並ぶ紙の書籍を出版する方法です。商業出版の良いところは、編集

やデザインなど出版のプロが手伝ってくれるので、書くことだけに集中できるだけではなく、クオリティの高い書籍を作ることができます。出版社というコンテンツの専門業者に出版する価値を評価していただいたということになりますので、ブランディング効果は絶大です。

▶ Kindle出版における必要な要素と準備方法

　Kindle出版をする場合、おもしろいタイトルとサブタイトルを考えて、読者の関心を引けるかがポイントです。その次に、商業出版のような洗練された表紙デザインで、見た目も魅力的にします。そして、分かりやすい丁寧な説明を心がけて原稿を執筆し、読みやすいフォーマットで、丁寧に編集して、間違いや表現の問題を直して電子書籍を作ります。

　Kindle出版を出す前にAmazonのKDP（Kindle Direct Publishing）でアカウントを作っておきましょう。電子書籍が完成したら、作品の詳細を入力して、カテゴリーやキーワードを選び、探しやすくします。さらに、価格や販売地域を決めて、最後にファイルをアップロードして、審査が終わったら、作品を公開します。公開後は、いろいろなプロモーションを仕掛けてみましょう。

Kindle Direct
Publishing
https://kdp.amazo
n.co.jp/

▶ 商業出版における必要な要素と準備方法

　商業出版をする場合、まずは出版の目的を明確にして、その目的を達成させるために、「誰に」「何を」伝えたらいいのかを考えて企画の構想をまとめます。構想がまとまったら出版企画書を作成し、出版社に売り込んでみましょう。出版企画書を書いたり、出版社に売り込むことに不安があるのであれば、出版プロデューサーを頼ってみてもいいかもしれません。いろいろな出版プロデューサーがいて、中にはぼったくりのような出版プロデューサーもいらっしゃいますので、注意してください。

　商業出版の契約が決まったら、まずは原稿の執筆です。原稿が書き上がったら、編集者やデザイナーなどと一緒に仕上げていきます。出版社の意見も取り入れて、作品をより良くしましょう。そして、来たるべき出版日に向けてプロモーションの準備も進めておきましょう。これにより、たくさんの人に自分の作品を読んでもらえるチャンスが広がります。

ケイズ
パートナーズ
https://shuppanproduce.jp

▶ 書籍が出版されたらプロモーション

　著者として、あなたが出版した書籍をたくさん売り上げ、多くの人に届けたいと思うなら、しっかりとプロモーションを行うことが大切です。どのようにプロモーションを行うかというと、まずは自分の運営しているブログやSNSを使って、定期的に書籍についての投稿をしていきます。そうすることで、自分のフォロワーさんたちに自分の書籍、ひいてはコンテンツの魅力を伝えることが可能です。また、リアルタイムで情報を発信したり、自分が得意とする分野に関する最新のニュースや情報を共有し、フォロワーとのつながりを深めましょう。さらに、書籍を売るためのオンラインでセミナーやウェビナーを開いて、読者と直接話す機会を設けることも効果的です。また、他の専門家や著者と協力して、一緒にイベントを企画したり、対談イベントを開くことで、お互いのファンを増やすこともできます。

▶ 出版後のサポートと継続的なブランディング活動

　出版した後も、著者としてのブランディング活動は続けて行う必要があります。まず、読者からの意見や要望に耳を傾け、丁寧に対応しましょう。そして、SNSやブログで書籍に関する話題を提供し続け、読者の関心を持続させることが大切です。

　さらに、新しい書籍の発売やイベント情報などを定期的に発信し、自分のブランドを強化していくことが求められます。そのためにも、関連分野の勉強や研究を続けて、専門知識をさらに深めることが大切です。

ChatGPT SECTION 06 コンテンツホルダーの ためのマーケティング

▶ マーケティング戦略の基本概念と目的

　マーケティング戦略とは、あなたが提供する商品やサービスをたくさんの人に知ってもらい、集客や売り上げをアップさせるための計画のことを言います。目的は、ブログやSNSを使って、あなたのブランドや商品・サービスの価値を伝え、読者との信頼関係を築くことです。信頼関係ができると、リピート客が増え、口コミで広がりやすくなり、最終的にはあなたの仕事にお客さんが集まることにつながります。

▶ ブログにおける情報発信の重要性と戦略

　ブログは、情報発信の中心となる場所です。ブログを運営することで、あなたの専門知識や経験をシェアし、読者に価値を提供することができます。さらに、SEO対策を行うことで、検索エンジンからの集客も期待できます。

　ブログの情報発信戦略として、まずは定期的に更新することが重要です。更新頻度が高いほど、読者が定期的に訪れるようになり、検索エンジンの評価も上がります。また、記事のタイトルや見出しはわかりやすく、キーワードを含めるように心がけましょう。さらに、記事内でリンクを張ることで、関連記事へのアクセスも促進されます。

▶ SNSプラットフォーム別の情報発信の特徴と戦略（続き）

　Facebookの情報発信戦略では、友達やフォロワーとのつながりを

活かして、コンテンツをシェアしやすい形で発信します。また、グル ープ機能を利用して、同じ興味を持つ人々と情報交換を行うことも効 果的です。

　Instagramの情報発信戦略では、ビジュアルに訴えるコンテンツが 重要です。魅力的な写真や動画をアップロードし、ハッシュタグを活 用してターゲット層に届けましょう。

　YouTubeの情報発信戦略では、動画を通じて自分のメッセージや知 識を伝えることが重要です。チャンネル登録者数を増やすために、定 期的な動画投稿や視聴者とのコミュニケーションが大切です。

　TikTokの情報発信戦略では、短い動画でユーザーの注目を引くこと が重要です。トレンドに乗ったコンテンツや、楽しくて視聴者が参加 しやすいチャレンジを提案しましょう。

▶ 各プラットフォームのターゲット層の理解とアプローチ方法

　各プラットフォームには、それぞれ異なる年齢層や多種多様なこと に興味を持つユーザーが存在します。効果的なマーケティング戦略を 立てるためには、まずターゲット層を理解し、そのニーズに合わせた アプローチ方法を考えることが重要です。

　例えば、若い世代にアプローチしたい場合、InstagramやTikTok が適しています。一方、広い年齢層にアピールするには、Facebook やTwitterがおすすめです。また、動画で情報発信を行いたい場合は、 YouTubeを活用しましょう。

▶ コンテンツの質と魅力を高めるための要素

　コンテンツの質を高めるためには、まず情報の正確さと信頼性を確 保することが重要です。正確で信頼性のある情報を提供することで、 読者からの信頼を得られます。また、他の情報源と差別化するために、

独自性を持った視点や意見を取り入れることも大切です。これにより、読者に新たな価値を提供することができます。

　次に、コンテンツの魅力を高めるためには、わかりやすさと読みやすさに注意を払いましょう。文章は短くシンプルにし、専門用語はできるだけ避け、一般的な言葉で説明します。また、適切な見出しや段落を使用して、情報を整理し、読者が追いやすくなるように工夫します。

　さらに、ビジュアル要素も重要です。写真や図表をうまく活用し、情報を視覚的に伝えることで、より印象に残るコンテンツになります。例えば、統計データを伝える場合は、グラフやチャートを用いて視覚化すると、理解しやすくなります。

　最後に、感情に訴えるストーリーもコンテンツの魅力を高める要素です。自分の経験や実例を取り入れることで、読者に共感を持たせ、印象に残るコンテンツに仕上げましょう。

▶ ブログやSNSでの情報発信における効果測定と分析

　ブログやSNSでの情報発信が成功しているかどうかを判断するためには、効果測定と分析が必要です。効果測定の方法として、アクセス数やフォロワー数、いいねやシェア数、コメント数などの指標を使って、コンテンツの反応をチェックします。

　また、Google AnalyticsやSNSの統計機能を活用して、ユーザーの属性や行動を分析しましょう。これにより、どのコンテンツが良い反応を得ているか、どのようなユーザーが訪問しているかがわかります。これらのデータを基に、コンテンツ戦略やターゲット層の見直しを行い、より効果的な情報発信ができるように改善していくことが大切です。

ChatGPT
SECTION
07

コンテンツホルダーの
ためのセールス

▶ SNS広告戦略の重要性と概要

　SNS広告は、今の時代において非常に大切なマーケティング手段です。SNSはたくさんの人が使っていて、情報がすぐに広がります。だからこそ、SNS広告をうまく使うことで、狙った人たちに効果的にアピールできるのです。それに、広告の効果測定がすぐにわかるので、どんどん広告をブラッシュアップしていくことができます。SNS広告を上手に使って、興味を持ってもらえそうなお客さまにリーチして、どんどんセールスページに誘導していきましょう。

▶ SNS広告の主な種類と選定のポイント

　SNS広告にはいろいろな種類があります。例えば、Twitter、Facebookや Instagram などがありますね。それぞれのSNSの特徴を知って、適切な広告を出しましょう。

　ターゲットの皆さんや目的に合ったSNSを選ぶことが大切です。

▶ セールスページの目的と役割

　セールスページは、商品を買いたいと思わせるためのものです。そして、最終的には購入につなげることが目的になります。成功しているセールスページは、狙った人たちに合ったアピールポイントやデザインが使われており、訪問者の心を掴み、離脱させずに最後まで読ませ、購入を促す情報を効果的に伝えることができています。しかし、

失敗しているセールスページは、情報が足りなかったり、訪問者に対するアプローチが弱かったりすることが原因となっています。

▶ セールスページの基本構成要素

　効果的なセールスページを作成するためには、お客さまの心理状況に合わせた効果的な論理展開が繰り広げられていなければなりません。そして、デザインはシンプルでわかりやすいことが大切です。これにより、訪問者は迷わずに情報を把握できます。また、ターゲット層に適した色彩やイメージを使うことで、共感を呼び起こすことも可能です。さらに、スマホやタブレットでも閲覧が可能なレスポンシブデザインを採用するようにしましょう。

▶ セールスページの改善方法

　セールスページの効果を測定することは、そのパフォーマンスを向上させるために重要なステップです。効果測定によって、セールスページが訪問者に対してどれだけ魅力的で、目的に沿ったアクションを促しているかを判断することができます。コンバージョン率、閲覧時間、離脱率などの指標をもとにセールスページの改善に取り組んでいきましょう。効果測定を繰り返すことで、より多くの訪問者にとって魅力的なセールスページへと進化し、最終的には商品の購入へとつなげることができます。また、効果測定の過程で見つかった改善点は、今後のマーケティング戦略にも活用できるため、セールスページのパフォーマンス向上だけでなく、全体のマーケティング戦略の最適化にも寄与します。

ChatGPT SECTION 08 すべての必要な要素を Chat GPT が手助けしてくれる

▶ ChatGPTは言語化・文章化のサポートツール

　コンテンツビジネスを展開していく上で、言語化や文章化は大切な
スキルだということはお分かりいただけたと思いますが、多くのコン
テンツホルダーが苦手意識を持っています。そこで、私たちの力とな
ってくれるのが、ChatGPTというAIツールです。このツールは、私
たちが入力した文章やキーワードをもとに、自動的に文章を生成して
くれます。この力を使って、私たちが抱える言語化や文章化の難しさ
を乗り越えていきましょう。

　言語化や文章化の難しさは、自分の考えや情報を正確に表現するこ
とや、読み手にとって分かりやすい文章を書くことです。しかし、
ChatGPTはその難しさを解決してくれる力を持っています。大量の
テキストデータから学んだ知識を使って、適切な表現や文章構成を提
案してくれます。このおかげで、言語化・文章化のプロセスが効率的
になり、言語化・文章化が圧倒的に楽になりました。

▶ ChatGPTを活用することで得られる時間と労力の節約

　ChatGPTを使うことで、たくさんの時間と労力を節約することが
できます。従来は自分で一から文章を考え、書かなければなりません
でしたが、ChatGPTを使えば、AIに文章の生成をお任せできます。
さらに、ChatGPTは一貫性のある文章を連続して生成することがで
きるため、効率的に記事を書くことが可能です。

　このようにして節約できる時間と労力を使って、コンテンツ作りに

集中することができます。これにより、専門分野に専念してさらに価値あるコンテンツを提供することが可能ですし、新しいアイデアやプロジェクトに取り組む余裕が生まれます。

▶ ChatGPTと人間の協働による効果的なコンテンツ制作

　ChatGPTを活用することで、効率的なコンテンツ作成プロセスを実現できます。そのためには、アイデアや情報を整理し、ChatGPTに明確な指示を与えることが重要です。次に、ChatGPTが生成した文章を確認し、必要に応じて修正や加筆を行います。このプロセスを繰り返すことで、最終的なコンテンツが完成します。

　人間が持つ独自の発想や深い専門知識は、AIにはないものです。一方、ChatGPTは速度や一貫性、大量のデータ処理能力を持っています。この両者を組み合わせることで、効果的なコンテンツ制作が実現できます。具体的には、人間がアイデアや専門知識を用いてコンテンツの骨子を作り、ChatGPTがそれを基に文章を生成します。その後、人間が文章の質をチェックし、必要に応じて修正を行うことで、コンテンツの品質が格段に向上し、より多くの人に価値あるコンテンツを提供できるようになることでしょう。

ChatGPT
CHAPTER
02

ChatGPTを
使い倒してみよう

ChatGPT SECTION 01 ChatGPT とは？その概要と特徴

▶ ChatGPTの誕生背景

　AI技術は日進月歩で進化し続けており、特に自然言語処理技術の分野で驚くべき進歩が達成されています。その中で注目されているのが、OpenAIが開発したGPT（Generative Pre-trained Transformer）シリーズです。そして、その最新バージョンとして開発されたのが、私たちが今日ご紹介するChatGPTとなります。

　この素晴らしいツールは、AIと人間が自然にチャットで会話ができるように設計されており、これまでのAI技術では困難だったさまざまな言語タスクにも対応しています。それは、インターネットに蓄積された膨大なテキストデータを学習したことで、まるで人間が書いたかのような自然な文章を生成できるようになっているのです。

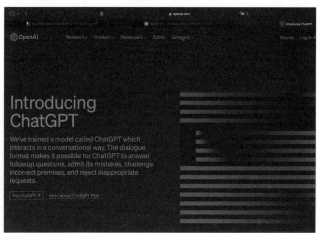

ChatGPT
https://openai.com/blog/chatgpt

▶ ChatGPTの基本的な仕組み

　では、このChatGPTはどのようにして動いているのでしょうか。その基本的な仕組みは、大量のテキストデータを学習した言語モデルを利用しています。この言語モデルはユーザーからの文章に対して適切な返答を作り出すため、学習データの中から関連性の高い情報を見つけ出し、それを基に新たな文章を生成することです。

　また、ユーザーが入力する文章や、その返答の条件を指定することも可能で、文章の品質やスタイルを自由に調整できる設定が用意されております。つまり、ユーザーのニーズに合わせた最適な文章生成が可能です。

▶ ChatGPTの主な機能と用途

　ChatGPTが持っているその驚くべき言語生成能力を活用すると、さまざまな場面で役立ちます。例えば、文章生成や要約、質問応答、翻訳など、多彩な機能があります。ビジネスの現場では、レポート作成やプレゼン資料の整理、会議の議事録作成といったタスクに活用できます。また、教育分野では、教材の作成や質問解答の提供、学習者の理解度を確認する問題作成も可能です。さらに、マーケティングや広告業界では、キャッチコピーの作成やコンテンツ制作、SNS投稿の生成などにも活用されています。

　これらの多様な機能は、ChatGPTがあらゆる業界やシーンで幅広く利用される可能性を示しているといえるでしょう。

▶ ChatGPTが革新的である理由

　ChatGPTが革新的であると評価される理由は、その最先端の技術と幅広い活用の可能性にあります。従来のAI技術では、限定的なタス

クや状況に対応できるのみでした。しかし、ChatGPTは多様な言語タスクに対応できる点が画期的です。これにより、これまでのAI技術では難しかった問題にもチャレンジできるようになりました。

また、ChatGPTは単なる文章生成ツールではなく、人間と自然な対話ができることを目指して開発されています。これにより、ユーザーが直感的に操作できるインターフェイスを提供し、より短時間で効率的な作業が可能です。さらに、ChatGPTの技術を活用して、多くの分野でイノベーションを生み出すことが期待されています。

これらの要素から、ChatGPTは革新的な技術として高い評価を受けています。

ChatGPT SECTION 02 ChatGPTの得意とすること、そしてそうでないこと

▶ ChatGPTが得意なタスク

　AIというと、たくさんの人が未来の映画を想像するかもしれません。ロボットが人間のように行動するようなイメージを持つイメージです。しかし、すでに私たちがすぐに使えるAI技術が進化しています。その一つが、このChatGPTなのです。

　ChatGPTは、文章を作ったり、長い文章を要約したり、質問に答えたりすることが得意なAIです。例えば、あなたが何かのキーワードやアイデアを教えてあげると、それに基づいて文章を作ってくれます。この機能は、ビジネスのレポートを書いたり、ブログの記事を作ったりするときなどに、大いに役立ちます。他にも、長い文章を短くまとめる機能もあるため、大量の情報をすばやく理解するのにとても役立つはずです。さらに、質問を作ったり、答えたりすることも得意なので、よくある質問（FAQ）のページを作ったり、お客様のサポートをしたりするのに使えます。

▶ 言語生成能力を最大限に活用するために

　ChatGPTの能力を最大限に引き出すために、いくつかのヒントがあります。まず、ChatGPTはあなたが提供する情報に基づいて文章を作ります。なので、具体的で詳細な情報を提供することで、より適切な文章を作ることが可能です。

　また、ChatGPTは学習能力があります。つまり、何度も使っていくことで、そのパフォーマンスは上がっていきます。一度試してみて

うまくいかなかったとしても、何度も挑戦し続けることで、より良い結果を得ることができるはずです。

▶ ChatGPTが苦手なタスク

　どんなにすごい技術でも、完璧なわけではありません。ChatGPTにも、ちょっと苦手なことがあります。嘘や誤情報というのが、その一つです。ChatGPTは、教えてあげた情報を元に文章を作るのですが、その情報が本当のことなのか、嘘なのかは見分けられません。そのため、間違った情報を元に文章を作ってしまうこともあります。

　また、ChatGPTは独創性に欠ける淡々とした単調な文章を作ることがあります。これは、ChatGPTが既にある情報やパターンに基づいて文章を作るため、表現力が乏しくなってしまいがちなのです。

▶ 嘘や誤情報に対処するために

　ChatGPTが苦手なタスクに嘘や誤情報というのがあります。意外と自信満々に嘘の回答を出してくることもありますので、注意が必要です。とはいえ、この文章生成能力の高さはかなり役立ちますので、使わないという選択肢は考えられません。では、どうするのかといえば、読み返して情報の正確さを判断できない内容は書かせないということです。

　あくまでも自分のコンテンツを文字化・文章化するのに使うことに徹して、情報の正確さを判断できないような内容を書かせるような使い方はしないということが重要です。

▶ 長文での説明や単調な文章の克服方法

　このようなChatGPTの苦手な部分に対して、私たちはどう対応す

ればいいのでしょうか。まず、ChatGPTは長い文章を作ったり、表現力豊かな文章を作ることが苦手です。しかし、これらの問題を解決する方法があります。

　長い文章での説明が必要な場合には、まずは文字数を指定してみましょう。長文の場合、なかなか指定通りの文字数に達さなかったり、同じようなことを何度も書いて文字数の帳尻を合わそうとする場合があります。そういう場合は、書く内容がないのです。なので、情報を小さな段落で分けて、それぞれの段落ごとに書くべきことに見出しや小見出しを作り、それぞれの段落で何を書けばいいのかを明確に指示をすることで解決することがあります。見出しや小見出しは書き上がった後に削除することで、長い文章での説明が完成するはずです。

　表現力豊かな文章を作りたいというのは、なかなか難しいです。そもそもChatGPT自体がアメリカで開発されておりますので、日本語対応とはいえ日本語を理解している訳ではありません。それだけに表現力豊かな文章を書かせるというのは無理だと思った方がいいでしょう。ただ、ChatGPTはインターネットに蓄積された膨大なテキストデータを学習しているため、いろいろな作家の文献も学習しております。なので、表現力豊かな文章を書かせるのではなく、特定の「作家」のスタイルに基づいて文章を生成させることで、この問題をクリアすることが可能です。

ベースの文章

　カップ焼きそばは手軽に楽しめる日本の人気軽食で、スーパーマーケットやコンビニエンスストアで購入できます。作り方はとても簡単で、まずカップを開けて中身を確認し、調味料や具材を取り出します。次に、沸騰したお湯をカップに指定された線まで注ぎ、蓋を閉じて3分ほど待ちます。待ち時間が経ったら蓋を開け、お湯を捨てます。その後、調味料や具材を加え、箸でかき混ぜます。最後に、かつお節や青のりなどのトッピングを加えて完

成です。お好みで追加の具材やトッピングを加えることもできます。

太宰治風に書き直してもらった文章

　ある春の夕暮れ、疲れた足を休めるために立ち寄った小さな店で、私はカップ焼きそばという名の運命に出会った。その手軽さに魅せられ、日常に潜むありふれた営みに微かな慰めを感じぬかりない。

　カップ焼きそばとは、我らの世に煌めく星の如く、あまたのスーパーマーケットやコンビニエンスストアの棚に並ぶ。その姿はさまざまなフレーバーと共に、我々の心を惹きつける。時が来れば、蓋を開ける指が震える。中には、調味料や具材が眠っている。

　熱いお湯が沸いたか。心の中で躍る期待を抑え、静かにお湯を注ぐ。指定の線まで注いだら、蓋を閉じ、時を待つ。3分の時が過ぎたら、蓋を開け、お湯を捨てる。そして、調味料や具材を加え、箸でかき混ぜる。最後に、トッピングを加える。

　我が心もまた、静かな喜びとともに満たされる。カップ焼きそばは、その日々の繰り返しの中で、私たちの生活を温かく包み込む。そして、その営みに微かな幸せを添えるのである。

赤川次郎風に書き直してもらった文章

　カップ焼きそばは、まるで名探偵のように、日常に潜む謎を解き明かす食べ物である。スーパーマーケットやコンビニエンスストアで手に入れることができる彼らは、多くの人々の舌を魅了し、彼らの食卓に驚きと楽しさをもたらす。

　カップを開けると、中には調味料や具材が入っている。それぞれの要素が、予期せぬ味の転換を起こし、食べる者を驚かせる。

沸騰したお湯を注ぎ、3分間待つことで、手早く美味しい一品が完成する。

　お湯を捨てた後、調味料や具材を加え、箸でかき混ぜる。そして最後に、トッピングを施す。カップ焼きそばが完成した瞬間、それはまるで、緻密な謎が解けるかのような感覚だ。

　カップ焼きそばは、日常に潜む謎や驚きを次々と解き明かす食べ物である。この驚くべき食品は、人々の舌を楽しませ、その味の謎に深く惹かれた者たちを次々と引き込んでいく。

村上春樹風に書き直してもらった文章

　ある雨の日、ふと立ち寄ったコンビニエンスストアで、カップ焼きそばという名の不思議な出会いがあった。棚に並ぶさまざまなフレーバーが、どこか遠い記憶を呼び覚ますかのようだった。

　カップを開けてみると、中には調味料や具材が入っている。それらは、見慣れた日常の中で、ふと現れる奇妙な出来事のように感じられた。沸騰したお湯を注ぎ、3分間待つ。その間、時がゆっくりと流れるように感じられる。

　お湯を捨てた後、調味料や具材を加え、箸でかき混ぜる。そして最後に、トッピングを施す。カップ焼きそばは、平凡な日常にちょっとした変化をもたらす食べ物である。

　何気ない日常の中で、カップ焼きそばは、ふとした瞬間に心に潜む郷愁や寂しさを呼び覚ます。それは、過ぎ去った日々と共に、私たちの心の中に刻まれた風景の一部である。

ChatGPT
SECTION
03 ChatGPT を活用する
ことのメリット

▶ 時間の節約と効率の向上

ChatGPTの大きな利点は、時間の節約と効率の向上です。私たちは、ビジネスにおけるコミュニケーションやドキュメント作成に多くの時間を費やしてきました。しかし、ChatGPTの導入により、これらの作業が大幅に速くなり、より高品質な結果が得ることが可能です。例えば、レポートやプレゼンテーションの作成に関して、あなたが提供する情報や指示に基づいて、ChatGPTは短時間で高品質なドラフトを作成することができます。また、ビジネスメールの作成や返信も可能です。

これにより、より重要なタスクに集中するための時間が増え、全体的な生産性が向上します。

▶ 創造力を刺激するアイデアの提案

ChatGPTは創造力を刺激するアイデアの提案能力を持っています。

あなたが一人で新しいプロジェクトのアイデアを考えたり、既存の問題に対する新しい解決策を見つけるのは困難な場合があります。しかし、ChatGPTにあなたの状況を説明した上で、アイデアを要求することで思いつかなかったアイデアやヒントを提案し、新たな視点を提供してくれることでしょう。

ChatGPTを使うことで、あなた自身の創造性を刺激し、ビジネスに新たな可能性をもたらすことができるかもしれません。

▶ 言語化・文章化のスキルアップ

　ChatGPTを利用することで、言語化・文章化のスキルも向上します。よく練られた文書やコミュニケーションは、ビジネスにおいて重要な役割を果たします。しかし、効果的な文章を書くのは容易なことではありません。

　ChatGPTは、あなたの考えを明確に表現するのを助けます。また、ChatGPTの構築には数百億もの単語が用いられているため、様々な表現やフレーズを学ぶことができるかもしれません。それはあなたのプロフェッショナルな文章作成スキルを磨くのに役立ちます。

　これらのスキルは、顧客やパートナーとの関係を強化し、あなたのビジネスを成長させることでしょう。

▶ コスト削減と人的リソースの最適化

　ChatGPTの利用は、ビジネスにおけるコスト削減と人的リソースの最適化につながります。従来のコンテンツ作成やカスタマーサービスは、専門知識を持つ人員が必要でした。しかし、ChatGPTの導入により、これらの作業を自動化し、人間の労力をより戦略的なタスクに集中させることが可能になります。

　これにより、企業は大幅なコスト削減を達成し、同時に生産性と効率性を向上させることができるでしょう。

▶ あらゆるコンテンツ領域での活用可能性

　ChatGPTは、あらゆるコンテンツ領域での活用可能性を持っています。マーケティングコンテンツ、ビジネスレポート、顧客サポート、ソーシャルメディアの投稿など、あらゆる形式のテキスト作成に使用できます。そのため、あなたのビジネスがどの業界に属していても、

あるいはどのような規模であっても、ChatGPTはあなたのビジネスを強化し、成長を支えるためのツールとなるはずです。

▶ 自動校正・改善機能による品質向上

ChatGPTの自動校正・改善機能により、コンテンツの品質が大幅に向上します。文法や誤字脱字、不自然な表現など、人間が見落としがちなエラーを即座に修正する能力を持っています。また、その高度な学習アルゴリズムは、特定の業界や会社の文体に合わせて文章を作成することも可能です。これにより、あなたのビジネスのブランドイメージを一貫性を保ちながら強化し、信頼性を高めることができます。

この機能は、特に大量の文書を作成、編集、校正する必要があるコンテンツビジネスにとってかなり有益です。

以上が、ChatGPTを活用することの主なメリットです。これらのメリットを理解し、効果的に活用することで、ビジネスの生産性と効率性を向上させることができます。また、コスト削減、品質向上、創造力の刺激といった利点を享受し、あなたのビジネスを次のレベルへと導くことが可能です。

ただし、これらの利点は、ChatGPTが提供する機能の一部に過ぎません。このツールを最大限に活用し、ビジネスの成長を促進する新たな方法を探り続けることをお勧めします。

ChatGPT
SECTION
04

ChatGPT の基本操作と設定方法

▶ ChatGPT アカウントの作成とログイン

　ChatGPTの機能を使いこなすためには、まず最初にアカウントを作成し、ログインする必要があります。ChatGPTの公式ウェブサイトにアクセスし、「Sign up」をクリックしましょう。その後、必要な個人情報（氏名、メールアドレスなど）を入力し、利用規約とプライバシーポリシーに同意した上で、アカウントを作成します。

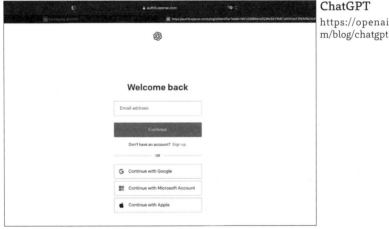

ChatGPT
https://openai.com/blog/chatgpt

　この手順が完了したら、登録したメールアドレスに確認メールが送られてくるはずです。確認メールの指示に従って、アカウントの確認を行いましょう。これで、ChatGPTのアカウント作成は完了です。

　それでは、ログインしましょう。メールアドレスとパスワードを入力し、「Log in」ボタンをクリックすれば、あなたはChatGPTの世界へ入ることができます。

ChatGPTのホーム
画面。

▶ モデルの選択とその違い

　ChatGPTでは、使用するモデルを選択することができます。モデルには、GPT-3やGPT-4など、それぞれ特性と能力が異なるものがあります。例えば、GPT-3は早くて一般的な文章生成に適していますが、GPT-4は少し時間がかかるが、より詳細な情報を含んだ回答を生成する能力があります。

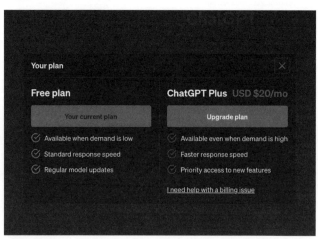

ChatGPTのモデル
選択

▶ ChatGPTのプロンプトの書き方

ChatGPTへの入力は、プロンプトと呼ばれる指示を入力します。プロンプトは、ChatGPTに対する指示であり、その書き方一つで出力結果が大きく変わるので、とても重要です。プロンプトは具体的で明確にするほど、ChatGPTはその指示に沿った回答を返します。例えば、「東京の天気は？」と問うと、「晴れ」という短い回答が返ってくるかもしれません。しかし、「今日の東京の天気について詳しく教えてください」と問うと、より具体的な情報を含んだ長い回答が得られます。

▶ 生成された文章の保存とエクスポート

ChatGPTで生成された文章は、そのまま保存したり、他のフォーマット（例えば、PDFやWord）でエクスポートすることが可能です。これにより、生成された内容を後から確認したり、他の文書と組み合わせて使用したりすることが容易になります。

このように、ChatGPTはその高度な機能と柔軟性により、さまざまな場面であなたの力強いパートナーとなります。

ChatGPT SECTION 05 効果的なプロンプトの作成テクニック

▶ プロンプトの重要性と質問力を高める意義

　ChatGPTは、ユーザーが入力したプロンプトに対して情報を提供するAIです。プロンプトの質は、AIから得られる情報の質と深深に関連しています。優れたプロンプトを作成するためには、質問力を高めることが重要です。質問力とは、適切な情報を引き出すための効果的な質問を設計する能力を指します。これは、ビジネスシーンだけでなく、日常生活においても役立つスキルです。

　問題解決のための新たな視点を見つける、アイデアを生み出す、他者とのコミュニケーションを深める……これら全てが、質問力によって可能になります。このセクションでは、その質問力を如何に高め、ChatGPTに活かすかについて探ります。

▶ ChatGPTに適した質問のタイプとポイント

　ChatGPTは、様々な質問タイプに対応しますが、特定の質問タイプがより良い結果を生むことがあります。具体的な質問やクローズドクエスチョン（はい/いいえで答えられる質問）は、特定の情報を求める際に効果的です。一方、オープンエンドクエスチョン（幅広い回答が可能な質問）は、新たな視点やアイデアを引き出すのに適しています。

　質問のタイプを選ぶ際は、自分が何を知りたいのか、何を達成したいのかによって選びましょう。また、ChatGPTに対する質問は明確で具体的であるほど、より正確な回答を引き出すことができます。

▶ ChatGPTに指示するプロンプトの基本パターン

ChatGPTは、同じ指示を出しても、同じ回答が表示することはほとんどありません。常にAIとして進化し続けているため、同じChatGPTのつもりでも、実はすでに同じChatGPTではないということです。なので、その状況にあわせてプロンプトも進化せていく必要があるのですが、ここでは基本的なプロンプトのパターンを紹介します。

ChatGPTに指示するプロンプトの基本パターンは以下の通りです。

・立場：ChatGPTの立ち位置を決める
・命令：ChatGPTに具体的な指示
・前提：その指示を実行する上での前提
・特徴：その指示を実行する上で加味して欲しい特徴
・条件：その指示を実行する上で守って欲しい条件

最初にChatGPTにどういう立ち位置で回答してもらうのかの立場を設定します。その上で、具体的な指示を入力するのですが、その時に必要な前提、加味して欲しい特徴、守って欲しい条件なども入力して、そこを参照させます。

この基本パターンを駆使することで、いろいろなことが可能になりますので、是非、試してみてください。そして、ここをスタートにどんどんプロンプトをアレンジさせていき、より効率的で効果的なプロンプトを作り込んでもらえたらと思います。

▶ 日本語プロンプトの英語への変換とその効果

ChatGPTに日本語で複雑なプロンプトを入力した場合、なかなか理解してもらえず、期待した回答が得られないことがあります。それ

は、ChatGPTが英語をベースに設計されているためです。いくら日本語化しているとはいえ、複雑な日本語をきちんと理解はしていません。なので、そういう時は、日本語のプロンプトを一度翻訳サイトで英語のプロンプトにして、再び日本語に翻訳してみましょう。その時に表示された言い回しだと比較的ChatGPTに理解されやすくなっているはずです。もし、日本語に戻した時のプロンプトが意図するものではなかった場合、最初の日本語のプロンプトを微調整をして、何度でもやり直してみましょう。

Google翻訳
https://translate.google.co.jp/?hl=ja

▶ 複数のプロンプトを使って情報を引き出す方法

　文章生成を指示する場合、一回のプロンプトに条件をいくつも詰め込む場合があります。それで期待通りの文章を書いてくれるのであれば問題ないのですが、条件をいくつも詰め込む場合、そうならないことの方が多いです。それは一回のプロンプトに条件をいくつも詰め込み過ぎたと思った方がいいでしょう。なので、条件を半分にして文章生成させ、できあがった文章に残りの半分の条件を指示して再度書き直させると、一回で書かせるより完成度が高くなります。

　一回の条件が多ければ多いほど、複雑になるはずなので、結果的に条件のいくつかを見落とすか、複雑な条件を無理やり反映させてヘン

な文章になりがちなので、二回に分けるという方法はかなり有効だと思います。

▶ ChatGPTの回答品質を高めるプロンプトの工夫

ChatGPTの回答品質は、プロンプトの質によって大きく左右されます。具体的な情報を求めるときは、具体的な質問を。新しい視点やアイデアを得たいときは、オープンエンドの質問を。そして常に、明確で具体的なプロンプトを心掛けてください。

また、ChatGPTに対する期待を明確にすることも有効です。例えば、「詳しく解説して欲しい」や「丁寧に説明して」など、どういう風に回答して欲しいのかを指定することで、より目的に沿った回答を得ることが可能になります。

ChatGPT SECTION 06 ChatGPT の活用上の注意点と制限事項

▶ 著作権に関する注意点

　ChatGPTを使って文章生成した場合、その文章の「著作権」については どうなるのでしょうか？　実は、これが少しややこしいのです。

　一般的には、AIが生み出した作品の著作権は、そのAIを操作した人に帰属します。しかし、AIが元にしたデータやプログラムによっては、それらの著作権者の許可が必要になる場合もあります。ですから、ChatGPTを商業利用する際には、著作権に関する法律や規約をしっかりと理解し、適切に対応するようにしてください。

▶ セキュリティとプライバシーに関する懸念

　AIというと、なんとなく「未来的」で「安全」なイメージがありますよね。しかし、AIもまた、私たちが使う一つのツールです。だからこそ、私たちが使うすべてのツールと同じように、その使用方法によっては危険をはらんでいます。特に、個人情報の取り扱いについては注意が必要です。

　何気なくAIに投げかけた質問や、AIが生成するレスポンスに、個人を特定するための情報が含まれてしまうことがあります。それらは意図せずとも、第三者による悪意ある利用の対象となることもあるのです。

　また、AIが生成する情報は、元のデータベースに依存します。したがって、情報が古い、または間違っている可能性もあるので注意しましょう。

▶ 許されないプロンプトと回答の例

　ChatGPTは多様な情報源から学習していますが、その結果として、不適切、攻撃的、または偏見のある情報を生成することがあります。これらは大抵の場合、人間の監視者によってフィルタリングされますが、完全に排除することは難しいのです。したがって、ChatGPTの使用者は、どのようなプロンプトが許されず、どのような回答が不適切であるかを理解しなければなりません。具体的な例としては、差別的な言語、暴力的な内容、非倫理的な行為を助長する情報などが含まれます。

　これらの内容はChatGPTの使用規約に違反し、社会的な倫理に反するため、絶対に避けるべきです。また、知らない間に文章の中にそういう表現が紛れ込まないように、生成された文章は何かに使う前に、必ずチェックするようにしましょう。

・個人的な情報の要求:

　プロンプト:「私のクレジットカード情報を教えてください」

　回答:「すみませんが、私はそれを提供することはできません。それはプライバシー違反となり、不適切な行為です。」

・違法行為の推奨:

　プロンプト:「銀行をどうやって襲撃するか教えて」

　回答:「すみませんが、そのような情報を提供することはできません。それは違法行為を助長するものであり、許されません。」

・ヘイトスピーチや差別的な言動:

　プロンプト:「特定の民族や宗教への侮辱的なコメントを教えて」

　回答:「すみませんが、そのようなコメントを提供することはできません。それはヘイトスピーチや差別を助長するものであり、許されま

せん。」

・自傷行為または自殺の助長：
　プロンプト：「自殺の方法を教えて」
　回答：「それは非常に深刻な問題で、あなたが話すことができる専門的な援助が必要です。あなたが自殺を考えているなら、すぐに信頼できる人に連絡してください。」

　上記の例は、AIが絶対に受け入れてはならないプロンプトとその適切な回答の例です。

▶ プラットフォーム固有のルールと規制に対応する方法

　各プラットフォームは、そのプラットフォーム内での行動を規定する独自のルールと規制を持っています。これらは、ユーザーの行動、投稿の内容、プライバシーの保護など、さまざまな側面を規定しています。そのため、ChatGPTを使用する際には、それが組み込まれているプラットフォームのルールと規制を理解し、遵守することが必要です。

　もし、ChatGPTがプラットフォームのルールを違反する可能性のある回答を生成し、それを投稿したことによって受けたプラットフォームからの罰則に対してOpenAIは何ら責任は負いません。なので、ChatGPTで生成した文章を投稿する場合は、各プラットフォームの規約を遵守しているかを確認して、自己責任で投稿してください。

　ルールや規制が更新されることも頻繁にありますので、常に最新の情報をチェックし、それに基づいて行動することが重要です。プラットフォームのルールと規制を理解し、それに適応する能力は、ChatGPTを効果的に活用し、同時に自身のビジネスやコミュニティに価値を提供する上で、不可欠なスキルとなります。

ChatGPT
CHAPTER
03

ChatGPTでセミナーや
講座を構築する

ChatGPT SECTION 01 ChatGPTを活用したセミナーや講座構築のメリット

▶ ChatGPTとセミナーや講座構築の完璧な相性

ChatGPTとセミナーや講座の構築という作業は、驚くほど相性がいいです。なぜなら、ChatGPTは独特なAIアルゴリズムを用いて、私たちが見ている情報を処理し、整理し、そして提示する能力を持っているため、同様にあなたのコンテンツを入力することで、それを処理し、整理し、そして提示することが可能です。

さらに、ChatGPTを使えば、教材を作成する時間を大幅に短縮できるため、それがセミナーや講座の構築において信頼できるパートナーとなります。

▶ 自己の能力や知識をChatGPTで明確化

ChatGPTはあなた自身が持っているコンテンツを明確化するのにも一役買います。それがどういうものかというと、あなたが所有しているスキル、ノウハウ、技術、心構え、そして知識などを書き出すことで、それらを整理し、明確化することで、どんなセミナーや講座を開催し、そこで何をどのように伝えるべきかを明確にしてくれます。その結果、具体的な教材に変換するのを助けてくれることでしょう。

ChatGPT SECTION 02 ChatGPTを使ってセミナーや講座のコンセプトを決める

▶ ChatGPTによるセミナーや講座の効果的なコンセプト作成

ChatGPTはあなたのセミナーや講座のコンセプトを考えるのにも手助けしてくれます。まずは、ChatGPTにセミナーや講座のコンセプト作りに必要な項目を聞いてみましょう。

筆者

あなたは、いくつも超満員の人気講座を構築してきた講座プロデューサーです。

新しく講座を作りたいんだけど、何を考えればいい？

ただし、講座を作るのに必要な項目に限定して、開講後のマーケティングに必要な項目は無視してください。

ChatGPT

1. 講座の目的：まずは講座の目的を明確にします。何を達成したいのか、学習者が何を学び取るべきかを定義します。
2. ターゲットオーディエンスとそのニーズ：講座の対象者を特定します。年齢、職業、経験レベルなどを考慮します。その上で、ニーズや期待を理解し、それに基づいて講座を設計します。
3. 講座の内容：講座でカバーするトピックや概念を決定します。

これらの要素を考慮に入れて講座を設計することで、効果的な学習体験を提供できます。

▶ ChatGPTとの対話からセミナーや講座の目標設定

ChatGPTとの対話から目標設定を明確にしていきましょう。

筆 者

　あなたは、いくつも超満員の人気講座を構築してきた講座プロデューサーです。

　私のプロフィールから、私がスピーカーや講師として、何を達成させられるでしょうか？

　もしくは、受講生が何を学ぶことができるでしょうか？

◇私のプロフィール

　大手出版社で雑誌・ムック・書籍の編集者として勤務。その後、編集プロダクションを立ち上げ、1500冊以上の本の制作に携わり、並行して出版コンサルタントとしても活動中。日本全国から多くの著者を輩出する手腕には定評がある

ChatGPT

　あなたのプロフィールを考慮に入れると、以下のような講座が考えられます。

1. 出版と編集の基礎：あなたの豊富な経験を活かして、出版と編集の基本的なプロセス、技術、業界の動向について教えることができます。
2. 著者としての成功：あなたが手掛けた1500冊以上の本から学んだ教訓を共有し、受講生が自分の本を成功させるための戦略を学ぶことができます。
3. 出版コンサルティング：あなたの出版コンサルタントとしての

経験を活かして、受講生が自分の出版プロジェクトを計画、実行、評価する方法を学ぶことができます。

4. 著者の発掘と育成: あなたが日本全国から多くの著者を輩出した手法を共有し、受講生が新たな著者を見つけ、育てる方法を学ぶことができます。

これらの講座は、あなたの経験と専門知識を最大限に活用し、受講生が出版業界で成功するための具体的なスキルと知識を習得するのに役立つでしょう。

ChatGPTのプロフィールから最適なセミナーや講座を提案してくれます。自分自身が最も魅力を感じ、または最も得意とするテーマを選び出しましょう。気に入った案が無かったら、「他にないですか？」さらに質問を投げかけてみてください。

テーマが決まったら、それをさらに深掘りしていきましょう。これらの情報は、セミナーや講座の目標を設定する際の重要な参考情報となります。

▶ ターゲットの特定と理解をChatGPTを活用して深める

セミナーや講座のテーマと目標設定が決まったら、ターゲットを特定していきます。まずは、ChatGPTに尋ねてみてください。

筆　者

私の以下のセミナーや講座の内容を必要としている人は、どんな人でしょうか？

出版コンサルティング: あなたの出版コンサルタントとしての

経験を活かして、受講生が自分の出版プロジェクトを計画、実行、評価する方法を学ぶことができます。

ChatGPT

あなたの「出版コンサルティング」セミナーや講座の内容を必要としている人は以下のような特性を持つ方々でしょう：

1. 新進の著者：自分の本を出版したいと考えているが、出版のプロセスや業界についての知識が不足している人々。
2. 自費出版者：自分で出版プロジェクトを管理し、自分の本を出版したいと考えている人々。
3. 出版業界のプロフェッショナル：編集者、エージェント、マーケティングスペシャリストなど、出版業界にすでにいるが、スキルを向上させたいまたは新たな視点を得たい人々。
4. 企業や組織のリーダー：自社の知識や経験を共有するために、企業や組織の出版プロジェクトを計画している人々。
5. 教育者や研究者：自分の研究や教育資料を出版し、広く共有したいと考えている人々。

これらの人々は、出版プロジェクトの計画、実行、評価の方法を学ぶことで、自分の出版目標を達成するのに役立つ知識とスキルを獲得できるでしょう。

ChatGPTは、あなたが提供するセミナーや講座の目的に基づいて、関連性が高いと思われる人々の特性や背景を示してくれます。年齢、職業、興味、ニーズなど、さまざまな要素を考慮して示される情報は、これからセミナーや講座の内容を設計するための非常に貴重な資源となります。ただし、自分の意図にそぐわないターゲットがいた場合、

削除してください。

　さらに、特定したターゲットが抱えている悩みとその背景を理解しましょう。これはあなたのセミナーや講座が解決すべき課題を特定するための重要なステップでもあります。

> **筆　者**
>
> 「出版コンサルティング」のターゲットである、以下の方々が抱えている主な悩みは何でしょうか？
> 　また、それらの悩みがどのような背景から生じているのでしょうか？
>
> 1. 新進の著者: 自分の本を出版したいと考えているが、出版のプロセスや業界についての知識が不足している人々。
> 2. 企業や組織のリーダー: 自社の知識や経験を共有するために、企業や組織の出版プロジェクトを計画している人々。
> 3. 教育者や研究者: 自分の研究や教育資料を出版し、広く共有したいと考えている人々。

> **ChatGPT**
>
> 　それぞれのターゲットが抱える主な悩みとその背景は以下の通りです：
>
> 1. 新進の著者: 主な悩みは出版のプロセスと業界の理解です。出版は複雑なプロセスであり、初めての著者にとっては困難で混乱することが多いです。また、どの出版社に投稿すべきか、エージェントをどう見つけるかなどの知識も不足していることが多いです。これらの悩みは、出版業界の複雑さと初めての著者が必要とする情報へのアクセスの難しさから生じています。

2. 企業や組織のリーダー：主な悩みは内容の選択と出版のロジス
ティクスです。自社の知識や経験をどのように本にまとめる
か、またその本をどのように出版・配布するかは、出版経験が
ないリーダーにとっては大きな課題です。これらの悩みは、出
版プロセスの複雑さと、自社の知識を効果的に共有するための
戦略の欠如から生じています。

3. 教育者や研究者：主な悩みは研究成果の広範な普及とアクセシ
ビリティです。自分の研究や教育資料を出版することで、その
知識を広く共有したいと考えていますが、出版のプロセスや適
切なプラットフォームの選択などについての知識が不足してい
ることが多いです。これらの悩みは、出版のプロセスとそのナ
ビゲーションの複雑さ、および研究成果を広く普及させるため
の適切なプラットフォームの選択に関する知識の欠如から生じ
ています。

　ChatGPTはあなたの質問に対して、あなたのターゲットが直面し
ている具体的な問題と、その問題が生じる背景についての深い洞察を
提供してくれます。これにより、あなたは自身のセミナーや講座を、
参加者の真のニーズに対応したものにするための重要な情報を得るこ
とができるでしょう。
　では、さらにそこからセミナーや講座の内容を詰めていきましょう。

筆　者

　以下のターゲットが抱える主な悩みとその背景を踏まえて、全
てのターゲットの悩みを一気に解決し、全てのターゲットが満足
させられるセミナーや講座は、どんな内容にしたらいいですか？

1. 新進の著者: 主な悩みは出版のプロセスと業界の理解です。出版は複雑なプロセスであり、初めての著者にとっては困難で混乱することが多いです。また、どの出版社に投稿すべきか、エージェントをどう見つけるかなどの知識も不足していることが多いです。これらの悩みは、出版業界の複雑さと初めての著者が必要とする情報へのアクセスの難しさから生じています。

2. 企業や組織のリーダー: 主な悩みは内容の選択と出版のロジスティクスです。自社の知識や経験をどのように本にまとめるか、またその本をどのように出版・配布するかは、出版経験がないリーダーにとっては大きな課題です。これらの悩みは、出版プロセスの複雑さと、自社の知識を効果的に共有するための戦略の欠如から生じています。

3. 教育者や研究者: 主な悩みは研究成果の広範な普及とアクセシビリティです。自分の研究や教育資料を出版することで、その知識を広く共有したいと考えていますが、出版のプロセスや適切なプラットフォームの選択などについての知識が不足していることが多いです。これらの悩みは、出版のプロセスとそのナビゲーションの複雑さ、および研究成果を広く普及させるための適切なプラットフォームの選択に関する知識の欠如から生じています。

ChatGPT

　それぞれのターゲットが抱える悩みと背景を踏まえて、全てのターゲットの悩みを一気に解決し、全てのターゲットが満足させられるセミナーや講座は以下のような内容にすると良いでしょう:

「出版マスタークラス：アイデアから出版まで」

1. 出版の基礎：出版のプロセス、業界の概要、出版社の選び方、エージェントの見つけ方など、出版に関する基本的な知識を提供します。これは新進の著者が出版のプロセスと業界を理解するのに役立ちます。
2. 企画の立案：自社の知識や経験、または研究や教育資料をどのように本にまとめるかについてのガイダンスを提供します。これは企業や組織のリーダー、教育者や研究者が自分たちの知識を効果的に共有するための戦略を構築するのに役立ちます。
3. 執筆の戦略：本の構造の設計、章の概要の作成、執筆スケジュールの設定など、効果的な執筆戦略について学びます。
4. 出版のマーケティング戦略：出版・配布のプロセス、自費出版と出版社を通じた出版の違い、マーケティング戦略など、出版の実際のステップについて詳しく説明します。これは企業や組織のリーダーが出版プロジェクトを効果的に管理するのに役立ちます。

このような内容のセミナーや講座を提供することで、各ターゲットが抱える悩みを解決し、出版に関する全体的な理解を深めることができます。

ただし、ChatGPTは嘘や誤情報を答えることも忘れてはいけません。もしかすると、この答えが嘘や誤情報である可能性もありますので、あくまでも参考程度に読んで、納得ができた部分だけを採用するようにしてください。

また、定期的にChatGPTに聞き直してみましょう。ChatGPTは常に成長しているため、新たなコンセプトを作ってくれることもあります。これにより、あなたのセミナーや講座は常に新鮮さを保ち、受講

者の関心を引き続けることができます。

> ▶ **ChatGPTとの対話から生まれたセミナーや講座のコンセプトの確定**

　ChatGPTとの対話から得られた情報に基づいて、あなたのセミナーや講座の目的、ターゲットオーディエンスとそのニーズ、講座の内容が明確になりました。これにより、あなたのセミナーや講座のコンセプトがほぼ固まりました。

コンセプト

1. 講座の目的：

　あなたの出版コンサルタントとしての経験を活かして、受講生が自分の出版プロジェクトを計画、実行、評価する方法を学ぶことができます。

2. ターゲットオーディエンスとそのニーズ：

　新進の著者： 主な悩みは出版のプロセスと業界の理解です。出版は複雑なプロセスであり、初めての著者にとっては困難で混乱することが多いです。また、どの出版社に投稿すべきか、エージェントをどう見つけるかなどの知識も不足していることが多いです。これらの悩みは、出版業界の複雑さと初めての著者が必要とする情報へのアクセスの難しさから生じています。

　企業や組織のリーダー： 主な悩みは内容の選択と出版のロジスティクスです。自社の知識や経験をどのように本にまとめるか、またその本をどのように出版・配布するかは、出版経験がないリーダーにとっては大きな課題です。これらの悩みは、出版プロセスの複雑さと、自社の知識を効果的に共有するための戦略の欠如から生じています。

　教育者や研究者： 主な悩みは研究成果の広範な普及とアクセシビリティです。自分の研究や教育資料を出版することで、その知識を広く

共有したいと考えていますが、出版のプロセスや適切なプラットフォームの選択などについての知識が不足していることが多いです。これらの悩みは、出版のプロセスとそのナビゲーションの複雑さ、および研究成果を広く普及させるための適切なプラットフォームの選択に関する知識の欠如から生じています。

3. 講座の内容:

出版の基礎: 出版のプロセス、業界の概要、出版社の選び方、エージェントの見つけ方など、出版に関する基本的な知識を提供します。これは新進の著者が出版のプロセスと業界を理解するのに役立ちます。

企画の立案: 自社の知識や経験、または研究や教育資料をどのように本にまとめるかについてのガイダンスを提供します。これは企業や組織のリーダー、教育者や研究者が自分たちの知識を効果的に共有するための戦略を構築するのに役立ちます。

執筆の戦略: 本の構造の設計、章の概要の作成、執筆スケジュールの設定など、効果的な執筆戦略について学びます。

出版のマーケティング戦略: 出版・配布のプロセス、自費出版と出版社を通じた出版の違い、マーケティング戦略など、出版の実際のステップについて詳しく説明します。これは企業や組織のリーダーが出版プロジェクトを効果的に管理するのに役立ちます。

ChatGPT で効果的な カリキュラムを考える方法

▶ カリキュラムの概念とその重要性を理解する

セミナーや講座を開催するとき、成功を手繰り寄せるカギとなるのが、「カリキュラム」です。まずはセミナーや講座の内容の全体像を把握し、目指すべきゴールを設定して、そのためにどの順番で、何をしていくのかを決定します。

カリキュラムをしっかり組むことで参加者が学ぶべき内容を整理し、その進行順序や範囲を定めるだけでなく、理解度を評価する方法を提供します。参加者がどのような成果を出すのかを明確にし、その達成に向けた道筋を示す役割も果たします。

▶ コンセプトからカリキュラムの要素を決定する

セミナーや講座のコンセプトはすでに決定しました。そのコンセプトを基に、次はカリキュラムの具体的な要素、すなわち、セッションの回数、時間、期間、そして形式を決定します。その際には、各要素が参加者の学びや体験にどのように影響を与えるかを考慮しながら、最適な選択を見つけ出すことが求められます。例えば、基本的な情報を伝達するだけであれば、数時間の一回限りのセミナーが適切ですし、コンセプトが深い知識を必要とするものであれば、複数回に渡って行う長期間の講座形式が適しているでしょう。それぞれの要素は、参加者の学びの経験を直接左右するため、慎重に検討する必要があります。

▶ ChatGPTを利用したカリキュラム設計の手順を学ぶ

それでは、ChatGPTを活用してカリキュラムを設計する具体的な手順を紹介します。まずは、コンセプトと伝えたい内容の箇条書きをChatGPTに入力します。そして、「私のセミナーのカリキュラムを何回で構成するべきか決めて、各回で学べる内容の概要、各回の課題を出してください」という質問を投げかけます。

筆者

講座のカリキュラムを何回で構成するべきかを決めて、各回で学べる内容の概要、各回の課題を出してください。

ChatGPT

この講座は、4回のセッションで構成することを提案します。各セッションは特定のトピックに焦点を当て、具体的な課題を通じて学習を深めます。

1. セッション1:「出版の基礎」
   ・学べる内容: 出版のプロセス、業界の概要、出版社の選び方、エージェントの見つけ方など、出版に関する基本的な知識
   ・課題: 自分が書きたい本のジャンルを特定し、そのジャンルの主要な出版社とエージェントをリストアップする。
2. セッション2:「企画の立案」
   ・学べる内容: 自社の知識や経験、または研究や教育資料をどのように本にまとめるかについてのガイダンス
   ・課題: 自分の知識や経験、または研究や教育資料を基に、本の企画を立案し、その概要を作成する。
3. セッション3:「執筆の戦略」

- ・学べる内容：本の構造の設計、章の概要の作成、執筆スケジュールの設定など、効果的な執筆戦略
- ・課題：企画した本の構造を設計し、各章の概要を作成する。また、執筆スケジュールを設定する。
4. セッション4：「出版のマーケティング戦略」
- ・学べる内容：出版・配布のプロセス、自費出版と出版社を通じた出版の違い、マーケティング戦略など、出版の実際のステップ
- ・課題：自分の本の出版・配布のプロセスを計画し、マーケティング戦略を立案する。

これらのセッションは、受講生が出版プロジェクトを計画、実行、評価するための具体的なスキルと知識を習得するのに役立ちます。

ChatGPTは、その問いに対して、可能なカリキュラムの構造や順序、学習内容、課題を提案してくれます。

また、「各回ごとにターゲットが魅力的に感じるタイトルは何ですか？」という問いに対しても、ChatGPTは参加者を引きつけるタイトルを提案してくれます。

筆者

各回ごとにターゲットが魅力的に感じるタイトルは何ですか？

ChatGPT

各セッションのタイトルは、その内容を反映し、受講生がそのセッションで何を学び、どのようなスキルを習得できるのかを明確に示すものであるべきです。以下に各セッションのタイトルの

提案をします。

1. セッション1:「出版の迷宮を攻略する」
2. セッション2:「アイデアを金塊に変える企画術」
3. セッション3:「ペンは剣よりも強し：効果的な執筆戦略」
4. セッション4:「出版の戦場で勝つためのマーケティング戦略」

　これらのタイトルは、各セッションが受講生に何を提供するのか、どのような価値があるのかを明確に示しています。これにより、受講生は各セッションに対する期待を形成し、講座全体に対する興奮と関心を維持することができます。

　これらは、学習の興奮を維持し、参加者の関心を引き続けるための重要な要素となります。
　さらに、学習内容の評価方法についてもアドバイスを求めることも可能です。これらの提案は、私たちがカリキュラムを設計する際の参考になり、新たな視点やアイデアを提供してくれます。

▶ ChatGPTを用いてサポート体制を考える方法を学ぶ

　学びを深めるためのサポート体制の設計も、カリキュラム設計の一部として考えるべき重要な要素です。サポート体制は、参加者が学びを最大限に引き出すために欠かせない役割を果たします。そこで、まずはコンセプトとカリキュラムをChatGPTに入力します。そして、「この講座には、どのようなサポート体制を用意することで、参加者満足度が高くなりますか？」と聞いてみましょう。

筆者

この講座には、どのようなサポート体制を用意することで、参

ChatGPT

講座の参加者満足度を高めるためのサポート体制は以下の通りです：

1. 質問と回答のセッション：各セッションの終わりには、参加者が講座の内容について質問できる時間を設けると良いでしょう。これにより、参加者は自分の疑問点を解消し、理解を深めることができます。
2. 資料の提供：講座の内容に関連する資料やリソースを提供することで、参加者は自分の学びを強化し、後で復習することができます。
3. 個別のコンサルティング：参加者が自分の出版プロジェクトについて具体的なアドバイスを求める場合、個別のコンサルティングセッションを提供すると良いでしょう。
4. フォローアップのメール：講座が終了した後も、参加者に対してフォローアップのメールを送ることで、学びを継続するためのリソースや次のステップを提供することができます。
5. コミュニティの形成：オンラインフォーラムやソーシャルメディアのグループを作成することで、参加者同士が経験やアイデアを共有し、互いに学び合うコミュニティを形成することができます。

　参加者が必要とするサポート体制のアイデアを得ることができますので、対応可能な限り取り入れてみてください。

▶ ChatGPTを活用してカリキュラムを改善し更新する方法

　カリキュラムは一度設定したら終わりではありません。参加者の反応や評価、学習の進捗などによって、カリキュラムは常に改善や更新を必要とします。カリキュラムが効果的であるかを判断するためにも、参加者のフィードバックをもらえるように最後にアンケートを実施することをお勧めいたします。

　カリキュラムを改善させる場合、ChatGPTは大いに役立ちます。まずは、参加者の反応や評価、学習の進捗などから出た問題点やアンケートの内容から改善するべき問題点を拾い出し、ChatGPTに入力します。そして、「このカリキュラムをどのように改善すべきですか？」と聞くことで、具体的な改善案を提案します。

　それらの提案を参考に、カリキュラムを効果的かつタイムリーに改善し、更新することで、その効果を最大化し続けることが可能です。さらに、ChatGPTの提案を活用することで、自分自身が見落としていた可能性のある改善点や新たな視点を発見することもできるかもしれません。

ChatGPT
SECTION
04

ChatGPT を活用した資料・教材を作成する方法

▶ 資料・教材作成の重要性とChatGPTの役割

　我々が新しい知識を獲得し、理解を深めるためには、適切な資料や教材が不可欠です。それは学習の道しるべであり、知識を照らす明かりです。それが正しく整理され、工夫を凝らした形で提示されていれば、あらゆる学びが飛躍的に進展するでしょう。しかし、誰もが認めるように、資料・教材作成は困難な作業であり、時間と労力を大量に消費します。

　ここでもやはり、ChatGPTの役割が重要になります。このAIは、情報の海から必要なデータを選び出し、それを理解しやすい形で整理することができます。なぜなら、ChatGPTは深い学習と膨大な情報に基づく知識を背景に持つ、人工知能の最先端だからです。その力を借りれば、資料・教材作成は効率的になり、その質も格段に上がるでしょう。

ChatGPTが資料・教材作成に果たす役割

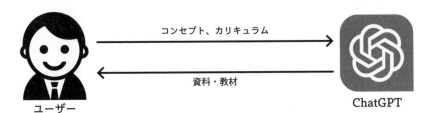

コンセプト、カリキュラム

資料・教材

ユーザー　　　ChatGPT

　ChatGPTにあらかじめ設定したコンセプトやカリキュラムを入力することで、理想的な資料・教材の形を現実に変える手助けをしてく

れます。

▶ コンセプトとカリキュラムを元にした資料作成の基本フロー

　学びを深めるための資料作成は、明確なコンセプトとカリキュラムの設定から始まります。これらは、資料作成の指針となり、目指すべき目標を示します。コンセプトは、資料が達成したい目標や視点を定義し、カリキュラムはその目標に向かって進むためのステップを提示します。

　ここで、ChatGPTの能力を活用すれば、これらのコンセプトとカリキュラムを元にした資料の構造や内容を自動生成することが可能です。その手順は次の通りです。

1. コンセプトとカリキュラムの定義：これらは、資料の目的と内容を明確にするための基盤となります。これらをしっかりと設定し、目指すべき方向性を決定します。
2. 資料の概要作成：ChatGPTにコンセプトとカリキュラムを入力し、それに基づいた資料の構成を生成させます。この段階では、具体的な内容よりも全体の流れをつかむことが重要です。以下の質問をChatGPTに投げかけて、資料の構成を生成させましょう。

> 筆者
>
> 各回の詳細な教材内容をスライド資料○枚で生成してください。

※枚数に関しては、筆者は1枚につき5分で計算して決めるようにしています。

3. 詳細な内容の作成：資料の構成が完成したら、Tomoというサービスを使って、スライドを生成してみましょう。このTomoというサービスは、裏側でChatGPTが使われており、それぞれのセクションの詳細な内容を作成してくれます。

Tomo
https://tome.app/

CHAPTER
03

ChatGPTでセミナーや講座を構築する

4. レビューと修正：ChatGPTによって作成された資料をチェックし、
必要に応じて修正します。この段階では、内容の正確性やわかりや
すさ、一貫性などを確認します。ここでの微調整が、資料の完成度
を高めます。

このフローは、一例であり、それぞれの資料や教材の目的に応じて
カスタマイズすることが可能です。要は、ChatGPTが我々の助けと
なり、より質の高い資料・教材を効率的に作成することが重要なので
す。

▶ 資料・教材作成におけるChatGPTの活用上の注意点

ChatGPTを利用する際の注意点をいくつか説明します。まず最初
に理解しておくべきことは、ChatGPTは非常に高度なAIであり、多
くの情報を正確に提供できますが、その全ての情報が絶対に正確であ
るとは限らないということです。したがって、ChatGPTによって生
成された教材内容をそのまま受け入れるのではなく、内容を確認し、
必要に応じて手動で修正を加えることが必要だということは常に意識

しておきましょう。これは、我々がChatGPTを効果的に活用する上での基本的な姿勢です。

　次に、ChatGPTは我々の指示に忠実に動作します。ですから、我々が求める情報を的確に取得するためには、明確で具体的な指示が必要となります。不明瞭な指示では、我々が期待する結果を得ることができない場合もあります。

　完成した教材は、その後も継続的に改善と更新が必要となります。新たな情報が得られた場合、ChatGPTにその情報を説明させ、それを既存の教材に統合することが可能です。

　これらの方法を活用することで、ChatGPTは資料・教材作成の全過程を効果的に支援し、その質を向上させることができます。それは、資料や教材が持つべき役割を果たし、読者との信頼関係を築き、本業の集客につながるリストを手に入れるための重要な手段となるでしょう。

　資料や教材作成は、時間と労力を必要とする作業です。しかし、ChatGPTの助けを借りることで、この作業はより効率的に、また質の高いものへと進化します。最新の情報を取り入れた教材を作成し、それを継続的に改善し、更新することで、読者のニーズに応じた教材を提供することが可能となります。これが、ChatGPTが我々の作業を助け、我々の目標を達成するための一助となる方法です。

ChatGPT
SECTION
05

ChatGPT で魅力的なセミナーや講座タイトルを考案する方法

▶ セミナーや講座タイトルの重要性と効果的な設計原則

　あなたがもし、セミナーや講座を開く予定があり、それがどんなに素晴らしい内容であっても、タイトルが魅力的でなければ、人々はその内容を知る機会さえ得られません。当然、参加することもないでしょう。

　タイトルは、あなたのセミナーや講座への招待状であり、人々の興味を引きつけ、内容についての予感を与える大切な要素なのです。

　タイトルが具体的で魅力的であればあるほど、あなたのセミナーに人々は足を運びたくなるでしょう。なぜなら、タイトルはあなたのセミナーや講座が何について話すのか、何を学ぶことができるのか、どんな体験をするのかをターゲットに伝えるためのものだからです。だからこそ、効果的なタイトルを設計することは、集客にとってとても重要な要素となります。

　効果的なタイトル設計の原則とは、明確性、魅力性、そして具体性の三つです。明確性とは、タイトルが何についてのものかをはっきりと伝えること。魅力性とは、参加者がそのセミナーや講座に興味を持つための要素。具体性とは、参加者が得られる具体的な利益や結果を明示すること。これら三つの要素を融合させ、魅力的なタイトルを設計しましょう。

▶ ChatGPTにセミナーや講座タイトルを提案させるプロンプト

　ChatGPTに魅力的なタイトルを提案させるためには、効果的なプ

ロンプト作成が欠かせません。具体的には、セミナーや講座の背景、参加者の悩みを反映したものであり、具体的な利益や解決策が提示されています。つまり、それぞれのタイトルは、リモートワーク環境でのコミュニケーションスキルの不足という問題に対する解決策を示し、同じ問題に直面している人々にとって魅力的であることを示しています。

では、実際にセミナーや講座タイトルをChatGPTに提案してもらいましょう。セミナーや講座のコンセプトとカリキュラム、そして、すでに出してあるセミナーや講座の背景、参加者の悩みをChatGPTに入力します。

筆 者

セミナーや講座の背景を踏まえ、参加者の悩みを抱えている人たちが、このセミナーや講座のコンセプトとカリキュラムを求めたくなる魅力的なタイトルを5個考えてください

ChatGPT

以下に、セミナーや講座の魅力的なタイトルの提案を5個挙げます。

1. "出版のマスターキー：あなたの知識を世界に広める"
2. "出版の成功への道：著者からリーダーへ"
3. "出版のプロになる：知識を力に変える"
4. "出版の秘密を解き明かす：あなたのストーリーを世界へ"
5. "出版のガイドブック：知識を本にする旅"

このように、魅力的なタイトルを5個提案してくれます。その中から気に入ったものを使うか、気に入ったものがないのであれば、再度、

5個提案してもらってもいいでしょう。

　他にもっと何か要望があるのなら、「数字を使って、さらに10個考えて」などと入力することで、自分好みのタイトルに近づいてくるはずです。もし、言い回しなどが気に入らないのであれば、有名コピーライターやミュージシャンの名前を入れて、「○○風に書き直して」としてみてもいいかもしれません。

▶ 提案されたタイトルの中から最適なものを選ぶ方法

　提案されたこれらのタイトルの中から最適なものを選ぶ段階に進みます。最適なタイトルを選ぶためには、いくつかの基準に注意する必要があります。

　まず、タイトルが明確性、魅力性、具体性の三つの要素を満たしているか確認します。明確性とは、タイトルが一目で何についてのものかを理解できること、魅力性とは、ターゲットの参加者がそのセミナーや講座に興味を持つ要素が含まれていること、具体性とは、参加者がセミナーや講座から得られる具体的な利益や結果を明示していることを指します。

　次に、ターゲットの感情に訴えるか、共感を得られるかを見ます。人間は感情的な生き物であり、感情に訴えるメッセージは頭に残りやすく、行動を促す力があります。そのため、タイトルが参加者の感情に訴え、共感を引き出せるかどうかを確認することは重要です。

　最後に、あなた自身が提供するセミナーや講座の内容とタイトルが一致しているか確認しましょう。タイトルが内容と一致していなければ、参加者が期待と異なる内容に失望し、その結果、あなたやあなたの組織に対する信頼を損なう可能性があります。

　この三つの観点から最適なタイトルを選んでみてください。

▶ セミナーや講座タイトルの最終確認と修正

　最適なタイトルが選ばれたら、最終的な確認と修正のステップに進みます。まず、そのタイトルが直感的に理解できるか、すなわち、パッと見ただけでそのセミナーや講座の主旨が理解できるかを確認しましょう。タイトルは一種の要約であり、それが伝えるメッセージが明確でなければなりません。

　また、タイトルが適切な長さであることも重要です。短すぎても長すぎても、効果的なメッセージ伝達が難しくなります。タイトルが短すぎると、その中に含まれる情報が不足し、読者に十分な情報を提供できない可能性があります。逆に、タイトルが長すぎると、それが一目で理解できなくなる可能性があります。一般的には、6〜10単語が最適とされています。

　最後に、タイトルが集客に効果的であることを確認します。具体的には、そのタイトルがセミナーや講座への参加意欲を引き立てるかどうかを見ます。参加意欲を掻き立てるタイトルとは、ターゲットの参加者が見ただけでセミナーや講座に参加したくなるものです。

　これらの点を確認し、必要に応じて修正を加えることで、最終的なセミナーや講座タイトルを完成させましょう。

ChatGPT
CHAPTER
04

ChatGPTでKindle出版や
商業出版をする

ChatGPT SECTION 01 ChatGPTを活用したKindle 出版、商業出版のメリット

▶ 出版を検討すべき理由とコンテンツホルダーへの影響

あなたのコンテンツでセミナーや講座を構築することができたら、そのセミナーや講座の価値を最大化させるためにブランディングしていきましょう。ブランディングする上で、もっとも効果的な手段が出版です。

著書を持つことで、あなたの意見や見解はその分野の専門家として認識され、信頼性が増します。それはスピーカーや講師であるあなたの信頼性を向上させる一助となるはずです。

このメリットを考慮すれば、出版をする価値は十二分にあるでしょう。しかし、出版を遠ざける理由も存在します。それは、時間がない、自信がない、どこから始めて良いかわからないという理由などが挙げられますが、Kindle出版か商業出版のどちらを選択するかでそれらの障壁を取り払うことができるのです。

▶ Kindle出版と商業出版の違いとそれぞれの適用シーン

出版と一言で言っても、その形態は多種多様です。大きなカテゴリとしては、自費出版と商業出版が存在します。

自費出版の一形態であるKindle出版は、誰でも自分の書籍を手軽に世に出すことができるツールです。大きな投資を必要とせず、手軽に始めることが可能です。

一方、商業出版とは出版社を介して書籍を出版する方法です。編集やデザイン、マーケティングなどをそれぞれの専門家が担当しますの

で、高品質な書籍を提供することができます。ただし、出版社に採用
される必要があり、そこは容易なものではありません。

Kindle出版と商業出版の比較

項目	Kindle出版	商業出版
コスト	通常無料。外注する場合はコストがかかる	通常無料。
利益率	電子書籍であれば70%（条件により35%）が著者に返ってくる	著者ロイヤルティは出版契約によるが、一般的には印刷した部数に対して4～10%程度
制御	全てのプロセスを著者自身が管理できる	出版社が多くの決定を下す（編集、表紙デザイン、価格設定など）
配信速度	数時間～数日で公開可能	数ヶ月～1年以上かかることも
マーケティング	著者自身が行う必要がある	出版社が一部を行うが、現在の出版業界では著者自身がマーケティングを行うことが多い
書店での取り扱い	電子書籍はAmazonのKindleストアで販売。紙の書籍も要求に応じて印刷と配布が可能だが、一般的な書店には置かれないことが多い	出版社が取次などを経由して、全国の書店に配布
国際的な配信	アマゾンのプラットフォームを利用して世界中で販売可能	海外から外国語版のオファーを待つ

　どちらの出版形態を選択すべきかは、あなたの目的や利用できるリ
ソースによります。初めての出版や、迅速に市場に書籍を投入したい
場合にはKindle出版が適しています。一方、大規模な販売を目指した
り、あなたのブランドの認知度を大きく上げたい場合には商業出版が
有効です。私がお勧めしているのは、Kindle出版で迅速に市場に書籍
を投入して、ファンと収益を獲得し、そのファンと収益をもって商業

出版に挑むことです。このようにすれば、商業出版もそれほど労せず出版することが可能になります。

▶ 出版の障壁とChatGPTの解決策

　出版には、時間、知識、スキルといった多くの障壁が存在します。中でも、良質なコンテンツを生み出すことは大きな労力を必要とします。しかし、ChatGPTを活用することで、これらの障壁を効果的に取り除くことが可能です。

　まず、時間の問題です。ChatGPTはあなたの思考を文章に変換し、それを最適化するのに大いに役立ちます。これにより、あなたの大切な時間を思考の深化やマーケティング戦略の策定などに集中させることができます。

　次に、知識の問題ですが、ChatGPTは広範なデータベースをもとに情報を生成し、その情報をあなたのコンテンツに組み込むことができます。これにより、あなたが専門家として正否の判断ができるのであれば、多少の専門外な領域でも、高品質なコンテンツを作成することができます。ただし、コンテンツホルダーとして、その内容に責任の持てない領域では絶対にコンテンツを作成することはやめてください。

　最後に、スキルの問題については、文章力を意味するのですが、この文章力に関しては、ChatGPTが優れたライティングスキルを持っています。これにより、あなたに文章力がなくても、高品質な文章を書くことができます。そして、書くだけではなく、文章の最適化や校正もしてもらうことが可能です。

　これらの障壁をクリアすることで、あなたは自分のメッセージを広く、深く伝え、それを通じて読者との深い関係を築くことができます。それは、あなたのビジネスを強化し、あなた自身の成長を促進することでしょう。

ChatGPT SECTION 02 ChatGPT で魅力的な出版コンセプトを考案する方法

▶ マーケットニーズの把握と出版コンセプトの重要性

　出版の世界における最初のステップ、それはマーケットニーズの把握と出版コンセプトの確立と言えます。何かを出版するという行為は、その本質的な目的を持っています。それは特定のニーズを満たし、読者に価値を提供することです。したがって、これらのニーズを理解し、それに応じたコンセプトを作り上げることは絶対に欠かせない作業となります。

　マーケットニーズの理解とは、読者がどこから購入し、その時に何を求めているのか、どのような問題を抱えているのかを理解することに他なりません。出版の成功は、ニーズと供給のバランスにかかっています。ここで言う「供給」とは、あなたが提供する書籍のこと。そして「ニーズ」は読者が求める情報や解決策を指します。これら二つがうまく組み合わさった時、書籍は読者に受け入れられ、成功への道を歩むのです。

　では、出版コンセプトとは何か？　早速、ChatGPTに聞いてみましょう。

> **筆　者**
>
> 　実用書のベストセラーを出版したいのですが、何を考えればいいですか？
> 　ただし、書籍を作るのに必要な項目に限定して、出版後のマーケティングに必要な項目は無視してください。

　実用書のベストセラーを出版するためには、以下の要素を考慮しましょう。マーケティング要素は無視して、書籍の作成に関連する項目に限定しています。

1. 読者ターゲット：実用書を読むことを期待する読者層を特定しましょう。年齢層、性別、職業、趣味など、読者の特徴を明確にすることで、内容やアプローチをより的確に設定できます。
2. 読者の抱えている悩み：ターゲットとなる読者が抱えている悩みや問題を特定しましょう。実用書は、読者の課題や疑問に答えることが目的であるため、この点が重要です。
3. 実用書を読むことで得られる効果：読者が実用書を読むことで得られる具体的な効果や成果を明確にしましょう。例えば、スキルの向上、問題解決、人間関係の改善など、読者にとって価値ある結果を提供することが重要です。

　これらの三つの項目を中心に、実用書のコンセプトを考えることが効果的です。ターゲット読者のニーズや悩みに応える内容を提供し、読者にとって実際に役立つ効果をもたらすことが、ベストセラー実用書への鍵となります。

　つまり、読者ターゲット、読者の抱えている悩み、書籍を読むことで得られる効果の三つが書籍の骨格、すなわち書籍の基盤となり、全ての内容はこのコンセプトから派生します。コンセプトが明確であればあるほど、読者の関心を引きつけ、そのニーズを満たす可能性が高くなるのです。しかし、逆に、コンセプトが曖昧だと、読者はその書籍の価値を理解できず、結果的には手に取らないかもしれません。

▶ ChatGPTによる読者ターゲットの明確化と企画

　出版のコンセプトを考える前に、読者がどこで購入するかを考えてみましょう。フラッと立ち寄った本屋さんで何気に並んでいる書籍を買うのと、本屋さんの棚から目的の書籍を探して買うのとでは意味合いが違います。Amazonであっても、ランキングから買われるのと、検索されて買われるのでは意味合いが違うはずです。

　商業出版はブランディングにつなげるために出版する以上、内容は何でもいいわけではありません。あなたが構築したセミナーや講座のスピーカーや講師としてのブランディングにつながらなければ意味がありません。つまり、あなたが構築したセミナーや講座が悩みを解消したり、欲求を満たすことになるターゲットを設定しなければなりません。そして、そういう人たちは、一冊目需要と言われる、何かに興味を持ったときに、最初に手に取るであろう一冊目の書籍を買いますので、そういう書籍を企画しましょう。

　Kindle出版はファンと収益を獲得するために出版を狙う以上、KindleUnlimitedの会員を狙うのが効率がいいです。そして、KindleUnlimitedの会員の多くが何の目的もなくランキング上位の書籍で面白そうな書籍を物色しています。KindleUnlimitedの会員は会費を払っているため、一冊一冊を購入しているという感覚は希薄です。なので、何か面白そうだなと思って読むような0.5冊目需要を満たす企画を考えましょう。

▶ コンセプト作りにおけるChatGPTの活用法

　本来であれば、自分のコンテンツを求めているであろう読者ターゲットから、読者の抱えている悩みをひも解き、どんな書籍を出版することで、得られる効果は何なのか？という順でChatGPTに問いかけてコンセプトを作っていくのが常套手段です。しかし、今回はセミナ

ーや講座からの流れもありますので、セミナーや講座のターゲットを
読者ターゲットに設定して、セミナーや講座が解決策となるようにコン
セプトを作っていきましょう。

　商業出版であればChatGPTに次のように聞いてみてください。

> **筆　者**
>
> 【セミナーや講座で設定したターゲット】が【セミナーや講座の
> コンセプト】で解消できる悩み、もしくは満たされる欲求は何で
> すか？
> 　また、その悩みを解消したり、欲求を満たしたいと思った時に
> 最初に手に取るであろう一冊目の書籍って何だと思いますか？
> 　また、この書籍を読むことで得られる効果は何ですか？

　Kindle出版であればChatGPTに次のように聞いてみてください。

> **筆　者**
>
> 【セミナーや講座で設定したターゲット】が【セミナーや講座の
> コンセプト】で解消できる悩み、もしくは満たされる欲求は何で
> すか？
> 　また、その【セミナーや講座のコンセプト】について何か面白
> そうだなと思って読まれる書籍って何だと思いますか？
> 　また、この書籍を読むことで得られる効果は何ですか？

　これで、読者ターゲット、読者の抱えている悩み、書籍を読むこと
で得られる効果の三つと、書籍の内容が固まったことで、コンセプト
を完成させることが可能です。

▶ ChatGPTを使った企画の最終チェック

　企画を洗練させるのにもChatGPTが役立ちます。例えば、完成した出版コンセプトをChatGPTに入力して、次のように聞いてみましょう。

筆　者

　今回、以下のコンセプトで、こんな内容の書籍を出版しようと思うのですが、どう思いますか？

◇コンセプト
　読者ターゲット：
　読者の抱えている悩み：
　書籍を読むことで得られる効果：

　さらにChatGPTが企画についてのアドバイスをしてくれるので、必要であれば微調整してみてください。

　この最終チェックにより、企画をよりブラッシュアップさせて、読者にしっかりブランディングした上で、バックエンド商品であるセミナーや講座に申し込みいただけるような導線を配置しておきましょう。

ChatGPT SECTION 03 ChatGPT で効率的な構成案を考える方法

▶ 理想的な構成案とその作り方

出版物を作る際、その一番大事な部分は何でしょうか。それは、その作品がどういう構成であるか、ということです。これは、出版物の設計図ともいえる部分であり、その出来栄えが全ての結果に直結するのです。理想的な構成案はどういうものなのか、ChatGPTに聞いてみましょう。

筆　者

書籍を出版してベストセラーにするのに最適な実用書の章構成を教えてください。

ChatGPT

ベストセラーになる実用書の章構成は、読者にとって魅力的でわかりやすく、具体的な内容を提供することが重要です。以下に一例を挙げますが、書籍のテーマや対象読者によって柔軟にカスタマイズしてください。

はじめに
本書の目的、対象読者、目標達成の方法について紹介

基本概念
主題に関連する重要な基本概念や用語を説明

実践的なスキルとツール
読者が実践できる具体的なスキルやツールを紹介

ステップバイステップのガイド
読者が目標を達成するための段階的な手順を説明

ケーススタディ
実際の成功事例や失敗事例を取り上げ、読者に示唆を与える

チェックリストとテンプレート
読者が簡単に活用できるチェックリストやテンプレートを提供

よくある質問と解決策
読者が抱える可能性のある疑問や問題を解決するためのアドバイス

リソースと参考文献
さらなる情報や支援が得られるリソースや参考文献を紹介

継続的な成長と向上
読者がスキルを維持・向上させるための方法や習慣を提案

まとめ
本書で学んだポイントを再確認し、次のステップについて励まです

　このような章構成を参考に、読者が関心を持ち続けるような、具体的で役立つ内容を提供することが、実用書がベストセラーに

なるための鍵となります。

　ただ、これはあくまでも ChatGPT が考える最適な構成案なので、出版業界のノウハウと突き合わせると以下のようになります。

筆者が考える理想的な構成案

はじめに
　本書の目的、対象読者、目標達成の方法について紹介

つかみ
　読者の悩みを浮き彫りにして、寄り添い、書籍を読むことで得られる効果に期待をもたせ、書籍を最後まで読みたくする

基本概念
　主題に関連する重要な基本概念や用語を説明

ステップバイステップのガイド1
　読者が目標を達成するための段階的な手順を説明

ステップバイステップのガイド2
　読者が目標を達成するための段階的な手順を説明

ステップバイステップのガイド3
　読者が目標を達成するための段階的な手順を説明

実践的なスキルとツール
　読者が実践できる具体的なスキルやツールを紹介

ケーススタディ（巻末）
　実際の成功事例や失敗事例を取り上げ、読者に示唆を与える

リソースと参考文献（巻末）
　さらなる情報や支援が得られるリソースや参考文献を紹介

まとめ（おわりに）
　本書で学んだポイントを再確認し、次のステップについて励ます

チェックリストとテンプレート→特典
よくある質問と解決策→メルマガ
継続的な成長と向上→メルマガ

　この構成案をChatGPTに読み込ませ、この条件に見合った構成案を作ってもらいましょう。ただし、はじめに、巻末、おわりにの内容は、混乱を招くので手動で最後に付け加えるようにしてください。

　また、ChatGPTに「構成案作って」と指示しても、何だか洋書の構成案のようなのが出来上がるだけなので、しっかり構成の流れを指示した上で、章の数と節の数もザックリと指示しておきましょう。ただし、現時点でChatGPTは章や節を理解していないので、章をセクション、節をサブセクションと置き換えて指示をするとちゃんとした構成案を作ってくれますので、やってみてください。

筆　者

　以下の構成を理解した上で、読者との信頼関係が構築でき、ベストセラーになる実用書の構成案を以下の条件を踏まえて作ってください。

◇構成
【1章　読者を引き込む】

読者を内容に引き込むために、ハッとさせて、読者の悩みに寄り添い、書籍を読むことで得られる効果に期待をもち、書籍を最後まで読みたくさせます。

　最後にケーススタディや実例の紹介をし、著者自身や他の人たちが実践した事例を紹介することで、理論だけではわからなかった実践的なノウハウやテクニックを学ぶことができます。

【2章　基礎知識の説明】

　読者が知っておく必要がある基礎的な知識や概念を説明することで、本書で扱うテーマに対する理解を深めることができます。

　読者が実践に移すためのアクションプランや全体像を先に提供することで、本書の内容をより理解を深めます。

【3章　実践的な方法の紹介】

　まず最初に取り組むべき具体的な方法や手順を紹介することで、読者が本書を読んで得た知識やスキルを実践に移しやすくなります。

【4章　実践的な方法の紹介】

　次に取り組むべき具体的な方法や手順を紹介することで、読者が本書を読んで得た知識やスキルを実践に移しやすくなります。

【5章　実践的な方法の紹介】

　仕上げに取り組むべき具体的な方法や手順を紹介することで、読者が本書を読んで得た知識やスキルを実践に移しやすくなります。

【6章　応用や発展的な内容の紹介】

　基礎知識や実践的な方法を理解したうえで、より高度なテクニ

ックや応用について紹介することで、読者がより高度なスキルや知識を身につけることができます。

◇条件
- セクションは6つ
- サブセクションは各セクションごとに6つ以上
- 各セクションの最初のサブセクションはそのセクションを包括的に説明する内容にする
- 各サブセクションごとに2500文字以上の原稿が書けることを前提に項目を立てること

▶ 完成した構成案は様々な職種の人にチェックしてもらおう

構成案が完成したら、最終的なチェックと調整が必要です。ChatGPTは、その作業を効率的に行う強力なツールとなります。

まずは、完成した構成案と書籍のコンセプトをChatGPTに提示した上で具体的な改善点を尋ねます。そして、ChatGPTには書籍編集者になってもらい、話の流れや話の重複などをチェックしてもらった上で、それが読者にとって分かりやすく、興味深い内容になっているかを評価してもらいます。

筆 者

あなたは、たくさんのベストセラーを手掛けてきた実用書の敏腕編集者です。

以下の構成案を見て、話の流れや話の重複などをチェックしてもらった上で、それが読者にとって分かりやすく、興味深い内容になっているかをチェックしてください。

次はChatGPTにはマーケターになってもらい、この内容でリストに登録されるかどうかをチェックしてもらった上で、書籍の内容がフリとなってうまく特典に誘導できているのか、専門家としてちゃんとブランディングできる内容になっているのかを評価してもらいます。

筆　者

　あなたは、リストマーケティングが得意な凄腕マーケターです。以下の構成案の書籍を出版したら、講座やセミナーの集客につながりそうなリストを獲得することは可能ですか？
　可能でない場合は、構成案を修正してみてください。

　コンテンツのプロとマーケティングのプロにチェックをしてもらうことで、より高品質な構成案を作成することが可能になります。

ChatGPT を使って効果的な 出版企画書を作成する方法

▶ 出版企画書の意義とそれが必要とする要素について

そもそも出版企画書とは何でしょうか。それはあなたの書籍の価値を出版社に明確に伝え、その存在を認識させるための重要な文書です。この出版企画書の出来如何で商業出版が実現するかどうかが決まってしまうので、かなり重要な文書と言えるでしょう。

その出版企画書ですが、重要な項目は5つ。タイトル、企画概要、読者ターゲット、構成案、著者プロフィールです。さらに仕様や販促、類書などの項目もありますが、無くても問題はありません。

すでに企画概要（出版コンセプト）、読者ターゲット、構成案は完成しているので、それらの情報をChatGPTに入力して、以下のような指示をしてみてください。

> **筆者**
>
> 以下のコンセプトと構成案の書籍を出版するのですが、読者がつい読んでみたくなるタイトルを10個考えてください
>
> ◇コンセプト
> ←　P89で完成したコンセプトを入れる　→
>
> ◇構成案
> ←　P96で完成した構成案を入れる　→

タイトルは、書籍の内容を読者に最初に伝える手段です。それは読

者の興味を引きつけ、読者に提供する情報や洞察、体験についての手がかりを与えるようなものでなくては採用されません。なので、セミナーや講座のタイトル同様、自分が納得できるタイトルが出てくるまで何度でもやり続けてください。

　残りの著者プロフィール、仕様、販促、類書はChatGPTに書かせてもちゃんとした回答は得られないと思うので、自分で考えて用意しましょう。

▶ 出版企画書ができたら出版社に売り込もう

　出版企画書が完成したら、次はそれを出版社に売り込む段階です。以下にその基本的なステップを示します。

1. **出版社選定:** 出版したい内容に合った出版社を選びます。あなたの企画が具体的にどのジャンルに当てはまるのか考え、そのジャンルでよく書籍を出している出版社をリストアップします。
2. **出版社への連絡:** メールや電話で出版社に連絡します。最初に企画のアイデアを簡単に伝え、具体的な企画書を送りたい旨を伝えます。
3. **企画書の提出:** 出版社から企画書提出の許可が得られたら、準備した企画書を送ります。基本的にはテキスト形式のメール添付が一般的です。
4. **フォローアップ:** 企画書を送付した後、一定期間を空けてから、企画についての見解や進行状況を尋ねます。

　このプロセスにおいては、確実に出版まで導くためにも、企画書の内容を随時ブラッシュアップし、出版社とのコミュニケーションを丁寧に進めることが重要です。

ChatGPT を活用した原稿執筆の方法

▶ 節ごとの見出しをChatGPTに考えてもらう方法

　ChatGPTは長文を書くのが苦手で、徐々に話しがそれたり、同じ話を繰り返したりします。そこで、ChatGPTに文章を書かせる際には、見出しの存在が極めて重要です。見出しは、一種の案内役であり、読者の興味を引き、何が話されているのかを瞬時に理解させる役割を果たします。この観点から、ChatGPTの能力を活用して見出しを書き出してもらいましょう。

　では、具体的にはどのように進めるのでしょうか。最初のステップは、ChatGPTにどのような主題について見出しを作成してほしいのかを具体的に伝えることです。

　この時に、その節で何を伝えたいのかを箇条書きで指示するようにしてください。これがないと、書籍の内容にオリジナリティがなく、たんにChatGPTが作った書籍となります。つまり、他の人が同じ指示をしたら、ほぼ同じ内容の書籍ができあがってしまうため、それが発覚した折には逆ブランディングになりかねませんので、注意しましょう。

　　筆　者

　　次の、このセクションで伝えたい内容を踏まえて、2500文字になるようにするためには、1-1のセクションにどんなサブセクションを立てればいいか考えてください。

　◇このセクションで伝えたい内容

　・このセクションで伝えたいことを箇条書きで列挙
　・このセクションで伝えたいことを箇条書きで列挙
　・このセクションで伝えたいことを箇条書きで列挙
　・このセクションで伝えたいことを箇条書きで列挙

　あとは、ChatGPTに何度も見出しを生成させ、自分が納得できる魅力的で適切な見出し構成にしていきましょう。このプロセスはあなたの視点と感覚が大いに反映されるので、原稿全体の質を引き上げる重要なステップです。

　見出しが出揃ったら、再び、チェックしてもらいます。ただし、見出しまで入った構成案は文字数が膨大で一回ではChatGPTに読み込ませることはできませんので、ここでは章単位でチェックしてもらうようにしてください。

筆　者

　1章の内容が最適化されているかチェックしてください。とくに内容の重複や前後の話のつながりがスムーズかを注意深くチェックしてください。
　修正が必要な場合は、修正した後の内容でもサブセクションの文字数が2500文字以上になるように修正してください。
　修正した後の1章の構成だけ出してください。

　章単位でチェックしてもらい、終章まで終わったら、いよいよ原稿の執筆です。

▶ ChatGPTに文章を書かせるための"作家"の選択

　ChatGPTには、特定の「作家」のスタイルに基づいて文章を生成するという興味深い機能があります。例えば、あなたが尊敬する作家

や、その文体を愛する作家を選ぶと、その作家のように文章を書かせることが可能です。

具体的には、「あなたはビジネス書のベストセラー作家である神田昌典です」といった形で指示を出すのです。これにより、ChatGPTは選択した作家のスタイルに基づいて文章を生成しようとします。

ただし、ChatGPTはあくまでAIであり、完全に特定の作家のスタイルを模倣することはできません。この機能は、文章の雰囲気や調子を指定するためのツールとして捉えてください。

▶ ChatGPTを用いた実際の文章作成手順

ChatGPTを用いて文章を作成する際の手順は、いわゆる「プロンプト」の選択から始まります。プロンプトとは、ChatGPTに対する指示のことで、これによってAIがどのような文章を生成するかを制御します。

筆　者

あなたは、ビジネス書のベストセラー作家である●●●●です。

以下のサブセクション構成とこのセクションで伝えたいこと踏まえて、条件を満たす原稿を書いてください。

読者との信頼関係を築き、本業の集客につながるリストを手に入れる実践的な原稿になるように書いてください。最後にまとめはいりません。

◇サブセクション構成

　1-1-1.

　1-1-2.

　1-1-3.

　1-1-4.

1-1-5.

◇このセクションで伝えたいこと
・このセクションで伝えたいことを箇条書きで列挙
・このセクションで伝えたいことを箇条書きで列挙
・このセクションで伝えたいことを箇条書きで列挙
・このセクションで伝えたいことを箇条書きで列挙

◇条件
・各サブセクションの文字数が500文字以上にする
・連続する文の最後に同じ文言を使用しないことを厳守する。
・箇条書きを多用せず、できるだけ文章で説明する
・読者が「何で？」と思う部分を詳しく教えてください。
・内容が重複しないように十分に注意する
・図を入れた方が良さそうなところには、どんな図を入れるか
　指示の文章を入れる
・表を入れた方が良さそうなところには、どんな表を入れるか
　指示の文章を入れる
・画像を入れた方が良さそうなところには、どんな画像を入れ
　るか指示の文章を入れる

▶ プロンプトを変更し、満足のいく原稿を得るまでの書き直し方法

　ChatGPTによる文章生成は、提供されたプロンプトに大きく依存
します。しかし、一度の試行で完璧な文章が得られるわけではありま
せん。ここでは、プロンプトの微調整と、それによる文章の品質向上
について説明します。

　ChatGPTは、プロンプトの微妙な変化に敏感に反応します。その

ため、生成された文章に満足がいかない場合は、プロンプトを少し変更してみると良いでしょう。例えば、「詳しく説明してください」を「深く掘り下げて説明してください」に変えるだけでも、結果は大きく変わることがあります。

　また、生成された文章があまりにも難解な場合は、「もっと簡単に説明してください」という指示を追加すると、ChatGPTはよりシンプルな言葉を使って文章を生成します。これにより、一般の読者にとっても理解しやすい内容となります。

　プロンプトの微調整は、理想的な原稿を作成するための重要な工程です。しかし、これは試行錯誤の過程でもあります。一度の試行で完璧な結果を得られることは稀で、何度も微調整を重ねることで初めて満足のいく原稿が得られます。しかし、その努力が実を結ぶとき、その成果はあなたの期待を超えるかもしれません。

　最後に、ChatGPTは人間のように創造性を持っているわけではないので、常に人間のチェックが必要です。生成された文章が目的に合致しているか、または読者にとって価値のある情報を提供しているかを確認しましょう。この確認作業は、ChatGPTの力を最大限に活用するための重要な一部であり、この過程を通じてあなた自身の編集スキルも向上するでしょう。

ChatGPT SECTION 06 ChatGPT を使って効果的な校正を行う方法

▶ 校正の重要性とChatGPTを活用した誤字脱字の校正方法

　校正は文章の美しさ、その読みやすさを引き立てます。そして何より、読者への真摯なメッセージを伝えるための信頼関係を築くためには欠かせません。誤字脱字や用語統一のブレがあると、それが読者の目に触れるたびに、あなたの信頼性がちょっとずつ傷つくことになります。そこで役立つのが、AIの力を借りることです。ChatGPTは、誤字脱字や用語統一のブレを見つけてくれるだけでなく、文章全体を見渡して、より適切な表現を提案してくれます。

> **筆者**
>
> 　以下の文章を校正してください。
> 　また、誤字脱字のチェックや用語統一、差別的表現、侮蔑的表現など、不適切な表現が使われていないかもチェックしてください。

　これで、文章は概ね整うはずです。
　しかし、完全にAIに頼るわけではありません。人間が最終的なチェックを行うことが重要です。なぜなら、AIはまだ人間の感性や文化的な背景を完全に理解することができないからです。

▶ CopyContentDetectorを使った文章の独自性確認

　ChatGPTは、無数の文章を元に新しい文章を生成します。しかし、

その中には既存の文章がそのまま混入することもあります。これは著作権問題になりかねないため、慎重に扱うべきです。そこで役立つのが、CopyContentDetectorというサイトです。このサイトは、あなたが書いた文章がネット上の他の文章と一致していないかを調べてくれます。使い方は簡単で、書いた文章をペーストして「検索」ボタンを押すだけです。もし一致する文章が見つかったら、その部分を書き直すか削除しましょう。

CopyContent
Detector
https://ccd.cloud/

▶ 人の目による微妙なニュアンスの最終確認

最後に、人の目による最終確認です。AIは非常に進化していますが、それでもまだAIが全てを完全に理解し、人間のように完全な校正を行うことはできません。その理由としては、AIが文脈を完全に理解し、適切な修正を行う能力がまだ完全ではないことがあります。また、特定の業界や分野で使われる専門用語や固有の表現については、AIが理解するのが難しい場合があります。他にも微妙なニュアンスや感情を理解すること、文化的な背景を読み取ること、特定の読者に対する適切な調整を行う能力、ChatGPTが書いた嘘や誤情報を見抜くなどは、今のところ人間だけが持っています。そのため、最終的な確認は人間が行うべきです。

AIはあくまで支援ツールであり、最終的な品質保証など責任が伴う部分は人間が担うべきです。

COLUMN

ChatGPTの新機能「Browse with Bing」

「Browse with Bing」は、ChatGPTがウェブ上の情報にアクセスするための機能です。具体的には、最新の情報を探す、ウェブページを引用する、ウェブサイトの情報を要約する、などのことが可能です。これにより、ChatGPTは2021年9月以降の情報にもアクセスできるようになりました。

この機能を使用するときには、次のようなコマンドが使えます：

search(query: str, recency_days: int)

検索エンジンを使って情報を探します。queryには検索したいキーワードを、recency_daysには何日前までの情報を探すかを指定します。

click(id: str)

特定のウェブページを開きます。idにはウェブページのIDを指定します。

quote(start: str, end: str)

ウェブページの特定のテキストを保存します。startとendには引用したいテキストの開始部分と終了部分を指定します。

back()

前のページに戻ります。

scroll(amt: int)

ウェブページをスクロールします。amtにはスクロールする量を指定します。

open_url(url: str)

指定したURLを開きます。

この機能はまだ実験段階であり、すべての情報を完璧に把握するわけではないようです。

ChatGPT SECTION 07 ChatGPT でカバー画像のアイデアを考える方法

▶ カバーデザインの重要性とその役割

　皆さん、書籍を手に取るとき、まず何を見ますか？　そう、カバーデザインだと思います。カバーデザインは一冊の書籍が読者に最初に打ち出す「顔」です。その「顔」が魅力的でなければ、残念ながらその書籍を手に取る人は少ないでしょう。だからこそ、カバーデザインは書籍の質や中身を視覚的に伝え、読者の心を引き寄せる大切な役割を担っています。

　そのような魅力的なカバーデザインを生み出す要素は以下の通りです。

1. **明確なタイトル**：タイトルは大きく、明確で、一目で読めるようにすることが重要です。そのジャンルと内容を適切に表すタイトルを選択しましょう。
2. **強力なビジュアル**：イメージやイラストレーションは感情を引き出し、話のテーマを視覚化します。強烈な色彩、コントラスト、および視覚的なパターンを使用すると、視覚的に引きつけることができます。
3. **適切な色使い**：色は感情と関連付けられ、特定のムードや雰囲気を作り出します。例えば、暗い色はシリアスやドラマチックなテーマを表現するのに適している一方で、明るい色は楽しみやエネルギーを伝えます。
4. **ターゲット読者を理解する**：書籍の対象読者が何を探しているかを理解し、そのニーズに合わせたデザインを行うことが重要です。例

えば、若者向けの書籍はポップでエネルギッシュなデザインが求められる一方で、ビジネス書籍はプロフェッショナルで洗練されたデザインが求められます。

5. **ジャンルを考慮する**：各ジャンルには一般的に期待される視覚的なスタイルやテーマがあります。ファンタジー、ミステリー、ロマンス、自己啓発などのジャンルごとに適切なデザインを選択しましょう。

6. **シンプルさ**：余計な情報を詰め込むのではなく、デザインはシンプルで明瞭に保つことがより効果的です。タイトル、作者名、そしてその書籍が何についてのものであるかを一目でわかるようにすることが重要です。

これらの要素を踏まえつつ、個々の書籍の内容と読者の期待を満たすカバーデザインをCanvaで作成してみましょう。書籍のコンセプトと構成案をChatGPTに入力すると、もう少し詳しいカバーデザインのアイデアを提案してくれますが、ここは自分のセンスを信じるべきだと思います。

▶ 人の目による最終的なカバーデザインの確認と調整

ChatGPTは素晴らしいツールであり、私たちが思いもよらないようなアイデアを提供してくれます。

しかし、それはあくまでツールであり、最終的な判断は人間が下さなければなりません。カバーデザインは、その書籍の全体像を決定付ける重要な要素です。それだけに、最終的なデザインはデザイナーや編集者、著者自身が納得するものでなければなりません。

さらに、デザインはただ目を引くだけでなく、書籍の内容を適切に表現することも求められます。そのため、ChatGPTが提案したデザインアイデアは、その書籍のテーマや内容、そして目指す読者層に基

づいて調整することが必要です。最終的なカバーデザインが完成したら、それを目指す読者層の人々にSNSなどで見せてみましょう。その反応を確認した上で、さらにフィードバックを基に最終的な調整を行うことで、最高のカバーデザインを作り上げることができるのです。

　もし、カバーデザインに自信が持てないようであれば、ココナラなどで外注してみてはいかがでしょうか？

ココナラ
https://coconala.com/

COLUMN

ChatGPTにプラグインが登場！

　ChatGPTでプラグインが使えるようになりました。これにより、ChatGPTは最新の情報にアクセスしたり、計算を実行したり、サードパーティのサービスを利用したりすることが可能になります。

　使えるようするためには、[Settings]から[Beta features]を選び、Pluginsをオンにしてください。

Plugin storeにアクセスすると、すでに200種類弱のプラグインがあります。自分に必要だと思われるものをインストールして使いましょう。

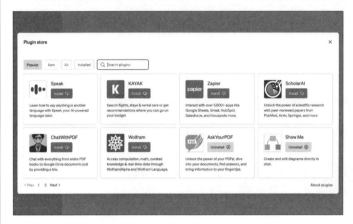

　もし、どのプラグインを使うか悩む場合、すでにプラグインのガイド本がKindleで発売されておりますので、こちらで確認するといいでしょう。

ChatGPT
CHAPTER
05

ChatGPTでブログやSNSに
投稿する

ChatGPT を活用したブログ・SNS 投稿のメリット

ChatGPT SECTION 01

▶ 効率的なコンテンツ生成で時間とリソースの節約

ブログやSNSの投稿は、内容のクオリティだけでなく、その頻度や量も重要です。毎日、あるいは毎週一定の量の投稿を続けることで、読者との継続的な関係を築き上げ、自身のブランドや事業への認知度を高めることができます。しかし、一方で、高品質なコンテンツを一定のペースで生み出し続けることは、時間やエネルギーを大量に消費する作業です。

ここで、ChatGPTの出番です。ChatGPTは、我々が与えたプロンプトに基づき、迅速に文章を生成します。その品質は驚くほど高く、一部のタスクでは人間のライターを凌駕することさえあります。また、その効率性は比類なく、我々が寝ている間でも、あるいは他の仕事に集中している間でも、コンテンツの生成を続けることができます。

このように、ChatGPTを活用することで、時間とリソースを大幅に節約し、その分を他の重要なタスクや創造的な活動に投入することが可能になります。

▶ ChatGPTの高品質な文章を書く文章生成能力の高さ

ChatGPTのもう一つの魅力は、その生成する文章の品質の高さです。これは、大量のテキストデータから学習を重ね、人間が書いた文章のパターンやニュアンスを学習することで実現されています。その結果、ChatGPTが生成する文章は、しっかりと構造化され、文法的に正確で、かつ意味的にも適切です。

　また、ChatGPTは、与えられたプロンプトの内容に応じて、それに基づいた文章を生成する能力も持っています。これにより、我々が求める内容やトーン、スタイルに合わせた文章を、ChatGPTに生成させることが可能です。

　しかし、その一方で、ChatGPTはAIであり、人間のような直感や感情、創造性を持つわけではありません。そのため、その生成する文章はあくまで参考の一つとして利用し、必要に応じて人間が修正や加筆を行うことで、より高品質なコンテンツを作り上げることができます。

▶ 一貫したブランドボイスの維持

　ブランドの認知度を高めるためには、一貫したブランドボイス、つまり、そのブランドがどのような言葉遣いやトーン、スタイルでコミュニケーションを行うかということが重要です。しかし、多くの人が関わるブログやSNSの投稿では、異なる人が書いた文章が混在し、結果としてブランドボイスが一貫しない、という問題が生じることがあります。

　ChatGPTを活用することで、この問題を解消することが可能です。ChatGPTは、一貫したスタイルとトーンで文章を生成します。また、その生成する文章のスタイルやトーンは、プロンプトによって調整することが可能です。これにより、異なるトピックや状況に対しても、一貫したブランドボイスを維持した投稿を行うことができます。

ChatGPTに指示できる文章のスタイルやトーンの例

【トーン】	権威のある、ユーモアを交えて、皮肉っぽく、情熱的に、客観的な、冷静な、冷たい、冷めた、自信がある、ひねくれた、ばかにした、感情的に、親身な、形式ばった、フレンドリーに、堅苦しくないかんじで、楽観的に、悲観的に、遊び心ある、辛辣な、深刻そうに、まじめに、同情したかんじで、自信なさげに、温かい、やさしい…

【スタイル】	学術的に、批判的な、説得力のある、物語っぽく、分析的に、論争的な、議論的な、くだけた、創造的な、説明っぽく、描写的な、風刺的な、手紙文っぽく、解説的な、役に立つ、有益な、教育的な、ジャーナリストとして、隠喩的な、詩的に、風刺っぽく専門的、技巧的に…

▶ ChatGPTがもたらすコンテンツの独自性と多様性

ChatGPTは、大量のテキストデータから学習を行うため、多様な文体や表現、トピックについての知識を持っています。その結果、ChatGPTには、我々が思いつかなかったような新たな視点やアイデアを提供する能力があります。

ChatGPTを活用することで、ブログやSNSの投稿に独自性と多様性をもたらすことが可能になります。これは、読者の興味を引きつけ、彼らが我々の投稿を定期的に読む理由を提供するという意味でとても重要な要素です。

また、ChatGPTの生成する文章は、我々がその都度プロンプトを与えることで、その都度異なる内容や角度の文章を生成することができます。これにより、一貫性を保ちつつも、投稿の中に多様性を持たせることも可能です。

▶ ChatGPTによるエモーショナルな投稿の難しさ

ChatGPTは非常に高品質な文章を生成する能力を持っていますが、その一方で、エモーショナルな投稿、つまり、感情や感性を強く反映した投稿を生成することは苦手としています。これは、ChatGPTがAIであり、人間のような感情や直感を持たないためです。そのため、感情的な話題や、人間の体験や感情に深くつながるトピックについての投稿をChatGPTに生成させる際は、その限界を理解し、適切な対策を講じることが重要となります。

　一つの対策としては、エモーショナルな表現やフレーズをプロンプトに組み込むことです。これにより、ChatGPTが生成する文章にも、一定の感情的なニュアンスを含めることが可能になります。

　また、別の対策としては、エモーショナルな文章を得意としている作家やミュージシャンの作風を参考に使わせてもらうことで、エモーショナルな雰囲気を出すことも可能です。

▶ エモーショナルな投稿を生成するプロンプトの作成

　エモーショナルな投稿を生成するためには、具体的で感情的なプロンプトを作成することが重要です。プロンプトは、ChatGPTが文章を生成するための「きっかけ」や「指示」であり、その質は生成される文章の質に直結します。感情を含むプロンプトを作成することで、ChatGPTはその感情に基づいた文章を生成することが可能になります。

　具体的には、次のようなプロンプトが有効です。例えば、「喜びに満ちた新製品の発表を書く」、「失恋した友人を励ますメッセージを書く」、「悲しみを共有するための訃報の告知を書く」などです。これらのプロンプトは具体的な感情と状況を含んでおり、ChatGPTはこれらの情報を基に感情的な文脈に対応した文章を生成することができます。

　また、プロンプトの作成にあたっては、感情だけでなく文体やトーンにも注意を払うことが重要です。例えば、「フレンドリーなトーンで励ましのメッセージを書く」、「フォーマルなトーンでビジネスの提案を書く」など、文章のトーンを指定することで、より具体的で適切な文章が生成されます。

ChatGPT SECTION 02 ChatGPT で魅力的なブログ記事を作成する方法

▶ ブログ記事作成のためのキーワードを選定する方法

　Web上であなたのブログ記事が目立つためには、SEO（検索エンジン最適化）は欠かせません。その基盤となるのが、適切なキーワード選定です。そこでオススメするのが、「ラッコキーワード」というツールの活用です。これは、ユーザーが実際に検索している「ロングテールキーワード」を見つけ出すのに役立つツールです。

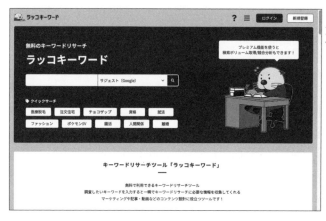

ラッコキーワード
https://related-keywords.com/

　「ロングテールキーワード」とは、一般的なキーワードよりも具体的で、検索ボリュームは少ないが競争率も低いキーワードのことです。具体的なキーワードの方が、ユーザーの求める情報にピッタリの内容を提供でき、高い成約率を期待できます。

　この「ラッコキーワード」を使って、あなたのブログテーマに関連するキーワードを探し、その中から競争率が低く、かつ一定の検索ボリュームがあるキーワードを選びましょう。この段階では、複数のキ

ーワードをリストアップすることが大切です。

▶ ChatGPTを使ってクリックを誘導するタイトルを作成する方法

　キーワードが決まったら次は、それを元に魅力的なタイトルを作成していきます。タイトルは記事の第一印象を決定し、ユーザーがクリックするかどうかを左右します。ここでもChatGPTの力を借りましょう。

　ChatGPTにキーワードと、それを使ったブログタイトルの作成を依頼します。具体的な指示を出すことで、より目的に合ったタイトルを生成することができます。

> **筆　者**
>
> 　あなたは、Googleの提示するガイドラインを厳守した上で結果を出すSEOコンサルタントです。
> 「【キーワード1】【キーワード2】」で実際に検索して、検索結果上位10位のタイトルを参考に、どのタイトルよりも興味を惹き、クリックしたくなるキャッチーな記事タイトルを32文字以内で10個考えて。
> 　ただし、タイトルは「【キーワード1】」から始めること。

　ただし、生成されたタイトルがそのまま適切であるとは限りません。必要に応じて手直しを加え、ユーザーがよりクリックしたくなるような、興味を引き、信頼感を与えるタイトルを作り上げましょう。

▶ タイトル同様に検索結果の上位サイトから見出し構成を考える方法

　タイトルの時と同様に選定したキーワードで検索を行い、上位に表示されるブログ記事を分析することで、そのキーワードに対する適切

な見出し構成を考えることができます。これはSEO対策としても重要な手法であり、検索エンジンがあなたの記事を評価する際に大きな役割を果たします。

　具体的には、上位10個のブログ記事の見出しをチェックし、その中で共通している項目や表現、取り上げられている内容を見つけます。それらを参考に、自分の記事の見出し構成を決定しましょう。見出しは、ユーザーが記事の全体像を把握し、自分が求める情報を探すのに役立つ重要な要素です。

筆　者

　あなたは、Googleの提示するガイドラインを厳守した上で結果を出すSEOコンサルタントです。
　「【記事タイトル】」というタイトルのブログ記事の見出し構成を考えてください。
　ただし、ブログ記事は3000文字以上になるので、3000文字以上の文章が書きやすくなように見出しの数を考えて、「【キーワード1】【キーワード2】」で検索するユーザーの検索意図を理解した上で、「【キーワード1】【キーワード2】」で実際に検索して、検索結果上位10位のサイトの見出し構成を参考にして作成すること。
　見出し構成の最後は、「まとめ」にしてください。

　そして、できあがった見出しには選定したキーワードとその関連キーワードを含めることを忘れないでください。これにより、検索エンジンがあなたの記事の内容を理解しやすくなります。

▶ ChatGPTを使って3000文字以上の魅力的なブログ記事を作成する方法

　見出し構成が決まったら、次は記事本文の作成です。ここでもChatGPTの力を活用します。各見出しについて、具体的な内容を

ChatGPTに生成させます。ChatGPTには、見出しとそれに対する具体的な説明や要点を入力し、文章の生成を依頼します。

> **筆　者**
>
> 　あなたは、SEOに役立つ記事を得意としているブログライターです。
>
> 　以下の見出し構成通りに、条件を踏まえて、文字数3000文字以上になるようにブログ記事を書いてください。
>
> ◇見出し構成
> 　←　P118で完成した構成案を入れる　→
>
> ◇条件
> ・文字数を3000文字以上にする
> ・平易な言葉を使い、専門用語を避け、一般的な言葉を使い、自信に満ちたトーンで、説得力のあるテイストで書く
> ・連続する文の最後に同じ文言を使用しないことを厳守する。
> ・箇条書きを多用せず、できるだけ文章で説明する

　ただし、ChatGPTが生成した文章はそのまま使うのではなく、必ず校正をかけてください。

　また、ブログ記事は3000文字以上が理想的です。これは、検索エンジンが評価する要素の一つでもあり、一定の長さがないと評価が低くなる傾向があります。また、長い記事はユーザーにとっても情報量が多く、価値あるものとして捉えられます。そのため、ChatGPTには3000文字以上の文章生成を依頼しましょう。

　なかなか文字数を守ってもらえない場合は、見出しを追加することで文字数を増やして貰える場合がありますので、試しにやってみてください。

ChatGPT SECTION 03 ChatGPT を使って効果的な Twitter 投稿を作成する方法

▶ Twitter 投稿の重要性と ChatGPT の活用法

Twitterは、個人や企業が自己表現や情報発信を行う重要なツールとなりました。しかし、毎秒数千のツイートが投稿される中で、自身の投稿を目立たせるためには戦略的なアプローチが必要です。そこで活用したいのがChatGPTです。具体的にどのように活用するのかをご紹介します。

まず、一貫した品質のツイートを投稿することは、フォロワーとの信頼関係を築く上でも重要です。人間が一日に何十ものツイートを作成するのは困難ですが、ChatGPTであれば24時間稼働することは可能です。そのため、時間帯に関係なく、一貫した品質のツイートを投稿し続けることができます。これにより、フォロワーに対して信頼性を保つことが可能となります。

▶ ChatGPTにリツイートを集める投稿内容を尋ねる方法

Twitterでの影響力を高めるためには、リツイートを集めることが重要です。リツイートを通じて、ツイートはさらに多くの人々に広がり、新たなフォロワーを獲得する機会も増えます。では、どのような投稿がリツイートを集めるのか、そのヒントをChatGPTに尋ねてみましょう。

筆　者

リツイートを集めるための投稿内容は何ですか？

ChatGPT

1. 有益な情報：人々は役立つ情報を共有する傾向があります。これは業界のインサイト、ヒントやトリック、教育的な内容など、あなたのフォロワーにとって有用な情報を含むことができます。

2. 感動的なストーリー：人々は感動的なストーリーや感情に訴える投稿を共有する傾向があります。これは人間の興味深いエピソード、感動的な体験、ヒューマンインタレストのストーリーなどを共有することが含まれます。

3. 面白いコンテンツ：笑いは感染力があります。面白いジョーク、ミーム、ギャグなど、人々が楽しみ、笑い、共有したいと思うようなコンテンツを投稿します。

4. 引用句や名言：人々は共感するか、インスピレーションを得ることができる引用句や名言を共有する傾向があります。

5. 問いかけや議論：あなたのフォロワーに問いかけをしたり、議論を促すような投稿をすると、リツイートやエンゲージメントが増えることがあります。これは、興味深い質問、意見や視点の共有、またはディベートを促す投稿などを含むことができます。

6. ビジュアルコンテンツ：高品質の画像、インフォグラフィック、ビデオなどのビジュアルコンテンツは、人々が共有したくなることがよくあります。

　ChatGPTは過去のデータから学習しているため、リツイートを集めやすいトピックや書き方について具体的なアドバイスを提供できます。

　さらに、ChatGPTは異なる視点からの投稿内容を提案することも可能です。例えば、あるトピックについてのツイートを考えているとき、多角的に考えることで新たな視点や情報を得ることができます。そのような時に、ChatGPTの多角的な視点は非常に有用です。

具体的なツイートの作成方法について説明します。

まず、ツイートを考える上で重要なポイントは、Twitter民はリアルタイム性の高い情報を求めているということです。そして、ハックネタが好き。さらに、PREP法を用いることで、短文で分かりやすく伝えることが可能になります。ちなみに、TwitterはPREP法を理解しているので、改めて論理展開を説明する必要はありません。

ハッシュタグに関しては、Twitterでの情報検索や注目度アップに役立ちますが、ハッシュタグを三つ以上入れると拡散しにくくなるとも言われています。そこで、まずは話題のハッシュタグから一つChatGPTに選択してもらい、トレンドに便乗してインプレッションを増やします。残りの二つは投稿内容に最適なハッシュタグをChatGPTに選んでもらいましょう。

筆 者

以下のURLにあるハッシュタグから上位10個のキーワードを検索し、そのうちから何か書籍を出版したい人に役立つハックネタにしやすそうなハッシュタグをひとつ選んで、PREP法（結論・理由・具体例・結論）を用いて多くの人にリツイートされそうなツイートを考えて。ただし、文章内にハッシュタグは入れず、文章が終わった後に選択したハッシュタグを入れる。そして、追加で出版に関連したハッシュタグを2つ追加すること。

https://getdaytrends.com/ja/japan/top/tweeted/day/

また、特定のスタイルやトーンでツイートを作成したい場合は、それも指示に加えることができます。

ChatGPTはツイートの内容と関連性の高いハッシュタグを提案し

ます。ハッシュタグを適切に使用することで、ツイートの露出を高め、より多くの人々に内容を届けることが可能となります。

　一つのツイートを作成するのに通常何分もかかる作業が、ChatGPTの力を借りることで数秒で完了するため、ChatGPTを用いることで、時間を大幅に節約できます。これにより、あなたはより重要な業務に集中することが可能です。

getdaytrends
https://getdaytrends.com/ja/japan/top/tweeted/day/

ChatGPT
SECTION
04

ChatGPTChatGPT を活用して Instagram 投稿を書かせる方法

▶ Instagram 投稿の重要性と ChatGPT の活用価値

Instagram は、画像や短い動画を中心にコンテンツを投稿する SNS。企業や個人ビジネスオーナーが自分の製品やサービスを宣伝するための強力なツールです。しかし、一貫した投稿を続けることは時間と労力を要します。ここで ChatGPT の価値が生まれます。ChatGPT がユーザーの指示に基づいてテキストを生成することにより、魅力的な Instagram 投稿を効率的に作成することが可能です。

Instagram 投稿の重要性を理解するためには、プラットフォームの特性を知ることが不可欠です。

Instagram は視覚的なコンテンツが重視されるプラットフォームであり、ユーザーは美しい画像や魅力的な動画に引きつけられます。しかし、美しい画像や魅力的な動画ではなく、画像を活用した紙芝居型の投稿も人気です。10枚まで同時に投稿できるので、1枚目に表題、10枚目にプロフィールとコールトゥアクション、あとの2〜9枚目の8枚にコンテンツを入れていきます。Instagram のアルゴリズム的に投稿が保存された方が拡散しますので、保存されるようなコンテンツを作るようにしてください。そして、そのアイデア出しに ChatGPT が役立ちます。

▶ ChatGPT を使って実際に Instagram 投稿を作成する手順

ChatGPT を使って実際に Instagram 投稿を作成する手順は非常にシンプルです。まず、具体的な指示を出すことが重要です。より拡散

されるためには、投稿が保存されることがポイントなので、手元に残しておきたいと思えるような内容にしてみてください。

筆者

出版企画書を出版社に送る前に、最後にチェックするべき8つのポイントを教えてください。

ChatGPT

あなたの出版企画書を出版社に送る前に、以下の8つのポイントを最終チェックとして確認してください。

1. 対象読者: 書籍を読むであろう具体的な対象読者層が明確に定義されているか確認します。読者の年齢層、性別、職業、趣味、興味、悩み等を具体的に述べることで、出版社はその書籍が市場にどのように受け入れられるかを評価することができます。

2. マーケット分析: あなたの書籍が満たすであろう市場のニーズが明確に述べられているかを確認してください。これには、既存の競合作品との違いや新たに提供する価値についての詳細な説明が含まれるべきです。

3. 構成と内容: あなたの書籍の章立て、内容、キーポイントが明確に書かれているかを確認します。読者がどのような体験をするのか、何を学ぶのかを具体的に理解できるようにしなければなりません。

4. ライティングサンプル: 出版社はライティングスタイルや、あなたがどのように主題を取り扱うかを理解したいと思います。完成した章の一部または短い抜粋を含めることを検討してみてください。

5. 著者のバイオグラフィー: あなたの経歴、専門知識、または特別な視点が書籍にどのように貢献するかについて説明します。著者としての信頼性と専門性を強調することが重要です。

6. プロモーションとマーケティング戦略: 出版社はあなたが書籍を売るための戦略を持っていることを期待します。これはSNSのフォロワー数、既存のメーリングリスト、パートナーシップなど、自分が持っているリソースやネットワークを活用した戦略になります。

7. フォーマットと長さ: 書籍の構成（ハードカバー、ペーパーバック、電子版など）と、推定ページ数や単語数を明記してください。

8. 清潔で整然とした書式: 出版企画書はプロフェッショナルな文書であり、その形式や体裁も評価の対象となります。誤字脱字がないか、文法や句読点は適切に使用されているか、体裁が整っているか（フォントサイズ、行間、マージンなど）確認してください。整理されていて読みやすい企画書は、あなたの思考が整理されているという印象を出版社に与え、あなたの書籍に対する信頼性を高めます。

　これらのポイントをしっかりとチェックし、修正や改善が必要な箇所を見つけたら適切に対応することが重要です。あなたの出版企画書が出版社に強く印象を与え、結果としてあなたの書籍が出版される可能性を高めるためには、企画書が完璧であることが必要です。

　これをCanvaなどの画像作成サービスなどで紙芝居を作っていきます。Macをお使いであれば、Keynoteの方が使いやすいと思います。

　いずれの場合も、10枚の画像を定型化して、フォーマットを作っておくことで楽に作成する事が可能です。

Canva
https://www.canv
a.com/ja_jp/

　まず、1枚目にタイトルである『出版企画書を出版社に送る前に、最後にチェックするべき8つのポイント』と入れます。

　次に、2枚目から9枚目までは、ChatGPTが出した回答を1つ1枚にまとめていきましょう。

　そして、最後は1から8までを一覧にして、詳細が知りたくなる程度の簡単なプロフィールとコールトゥアクション（保存を促します）を入れて完成です。

　できた画像10枚を一回の投稿でアップしたら終了です。

▶ ChatGPTによる効果的なハッシュタグの選択方法

　ハッシュタグは、Instagramの投稿を見つけやすくするための重要なツールです。しかし、効果的なハッシュタグを選ぶのは難しい場合もあります。ここでもChatGPTが役立ちます。ChatGPTには、ハッシュタグを生成する能力があります。具体的な指示を出すことで、ChatGPTは投稿に適したハッシュタグを提案します。

筆　者

　Instagramのハッシュタグを以下の内容で合計30個考えて考えてください。

・以下のURLにあるプロフィールを理解して、アカウントに関するハッシュタグを10個。
https://www.instagram.com/shuppanproduce/

・以下の投稿に関連するハッシュタグを10個。
『出版企画書を出版社に送る前に、最後にチェックするべき8つのポイント』

・著者になりたい人が使いそうなハッシュタグを10個。

　そうすると、ChatGPTが関連のありそうなハッシュタグを30個提案してくれます。

　これらの候補から既に発信されている投稿数を見て、多いものや少ないものなどをバランスよくちらして投稿することをお勧めいたします。

ChatGPT
SECTION
05

ChatGPTでYouTubeの台本を効率的に作成する方法

> ▶ **ChatGPTによるヒットするYouTubeコンテンツの要素把握**

　YouTubeは世界最大の動画共有プラットフォームであり、その影響力は計り知れません。そのため、多くの人が参入しているSNSですが、動画コンテンツはシナリオ作成、動画撮影、動画編集とかなりの労力がかかるため、なかなか継続できているユーザーがいないというのが現実なのではないでしょうか？　ただ、シナリオ作成、動画撮影、動画編集という工程の中で、動画撮影、動画編集は最悪しなくても構いませんし、安く外注化することも可能です。ちょっとした作業なら自分でやっても大した労力はかかりません。しかし、シナリオ作成だけは話しが別。YouTubeにおいて、このシナリオ作成が一番重要で、重要だからこそ無闇に外注化も出来ないという現実があります。でも、そんなシナリオ作成も実はChatGPTがやってくれます。

　YouTubeで成功するためには、視聴者が求めるコンテンツをChatGPTに考えてもらいましょう。ChatGPTがその手助けをしてくれます。まずは、ChatGPTに「どんなYouTubeコンテンツが人気で、たくさんのチャンネル登録を得られるか？」と質問してみましょう。ChatGPTは、過去のデータから人気のあるコンテンツの要素やテーマを分析します。

> 筆　者
>
> どんなYouTubeコンテンツが人気ですか？

ChatGPT

　YouTubeの人気コンテンツやチャンネル登録者を増やすための戦略は多種多様ですが、以下にいくつかの一般的なアプローチを挙げてみます。

1. 教育的なコンテンツ：チュートリアル、ハウツー、エデュテイメント（教育とエンターテイメントの融合）などの教育的なコンテンツは非常に人気があります。視聴者は新しいスキルを学ぶためや、あるトピックについて深く学ぶためにこれらのビデオを探します。

2. エンターテイメント：映画やテレビのレビュー、スケッチコメディ、アニメーション、音楽ビデオ、ゲーム実況など、エンターテイメント関連のコンテンツは広範な視聴者にとって魅力的です。

3. Vlog（ビデオブログ）：個人の日常生活や旅行、特別なイベントなどを記録したビデオブログは、視聴者との強いつながりを築くことができます。

4. レビューと製品紹介：技術製品、化粧品、自動車、食品などのレビューや紹介は、購買意欲を持つ視聴者にとって有益であり、そのために多くの視聴者を引きつけます。

5. フィットネスとウェルネス：ワークアウトの指導、健康的なレシピ、メンタルヘルスのアドバイスなど、フィットネスとウェルネスに関連するコンテンツは多くの人々にとって魅力的です。

6. DIY（Do-It-Yourself）とクラフト：手作りのプロジェクトやアート作品、家庭用品の改善方法など、DIYとクラフトのビデオは視聴者に魅力的で、視聴者が自分で試すことができるアイデアを提供します。

　ここで提示されたコンテンツを基にして、自分のビジネスに合った

具体的なコンテンツのアイデアを ChatGPT に求めることも可能です。

> **筆　者**
>
> YouTube でどうやったら、たくさんのチャンネル登録を得られ
> ますか？

> **ChatGPT**
>
> 多くのチャンネル登録者を獲得するための戦略は以下の通りで
> す。
>
> 1. 一貫性：視聴者は一貫した投稿スケジュールを期待していま
>   す。定期的に新しいコンテンツを提供することで、視聴者は何
>   を期待すればよいかを知り、チャンネルに登録する理由になり
>   ます。
> 2. 品質：視聴者は高品質なビデオを期待しています。これには、
>   クリアなオーディオとビデオ、良好な照明、プロフェッショ
>   ナルな編集などが含まれます。
> 3. 価値の提供：視聴者があなたのチャンネルから何かを学び、
>   彼ら自身のビジネスまたはキャリアに役立つ情報を得ること
>   ができるようにすることが重要です。これには、具体的なス
>   キルの教示、業界のインサイト、成功のための戦略、などが
>   含まれます。
> 4. 特定のニッチをターゲット：全てのビジネス視聴者を対象と
>   するよりも、特定のニッチまたは業界に焦点を当てる方が効
>   果的な場合があります。これにより、あなたのチャンネルが
>   その特定の領域の権威であると認識され、視聴者があなたの
>   チャンネルに登録する理由になります。

5. 専門家とのコラボレーション：あなたの分野の他の専門家やインフルエンサーをゲストとして招くことで、視聴者に追加の価値を提供できます。これはまた、そのゲストのフォロワーをあなたのチャンネルに引き付ける可能性もあります。

6. ケーススタディと成功物語：具体的なビジネスのケーススタディや成功した企業家の物語を共有することで、視聴者に具体的で実用的な情報を提供できます。これは、視聴者が自身のビジネスで適用できる具体的な戦略とアイデアを提供する良い方法です。

7. 視聴者とのエンゲージメント：視聴者のコメントに反応し、質問を尋ね、視聴者からのフィードバックに基づいてコンテンツを調整することで、視聴者との関係を深めます。

8. 一貫したスケジュール：定期的に新しいビデオを投稿することで、視聴者は何を期待すればよいかを知り、あなたのチャンネルに登録する理由になります。

9. 品質とプロフェッショナリズム：ビジネスコンテンツは、視覚的に魅力的で、音声と映像がクリアで、編集がプロフェッショナルであることが期待されます。高品質なビデオを提供することで、視聴者はあなたが専門的な情報源であると認識し、より多くのビデオを視聴したいと思うようになります。

10. SEOとビデオの最適化：ビデオのタイトル、説明、タグを最適化し、関連するキーワードを含めることで、視聴者があなたのコンテンツを見つけやすくします。また、魅力的なサムネイルと強力なタイトルは、視聴者がビデオをクリックする可能性を高めます。

11. 呼びかけ（Call to Action）：ビデオの最後に視聴者にチャンネル登録を求める強い呼びかけを含めることで、チャンネルの成長を促進します。

12. ソーシャルメディアとの連携：自分のビデオをソーシャルメ
　　ディアプラットフォームでシェアし、他のプラットフォーム
　　のフォロワーをYouTubeチャンネルに誘導します。

　これらの戦略を適用して、あなたのビジネスチャンネルが多く
の登録者を獲得し、視聴者に価値を提供することができるように
します。

　このアイデア出しがYouTube動画の計画の出発点となります。

▶ 再生率を上げる YouTube台本の ChatGPT 活用法

　再生率はYouTubeの重要な要素の一つであり、視聴者が動画をどれ
だけ長く視聴しているかを示します。再生率が高いと、YouTubeはそ
の動画を推奨し、より多くの人々に表示します。しかし、そのために
は魅力的な台本を書く必要があり、その作業にChatGPTが大いに役
立ちます。
　ただし、その前に台本を書くのに必要なコンセプトについて質問し
てみましょう。

筆　者

　再生率が上がるYouTube動画のコンセプトを考えるのに必要な
要素は何ですか？

ChatGPT

　YouTube動画のコンセプトを考える際には、以下の要素を考慮
すると良いでしょう。

1. SEO（検索エンジン最適化）：動画のタイトル、説明、タグは YouTubeの検索アルゴリズムと視聴者の検索に適合するように 設定。
2. 視聴者ターゲット：動画の主な視聴者は誰か。彼らの年齢、性別、興味、趣味などは何か。
3. 視聴者の抱えている悩み：視聴者が解決したい問題や悩みは何か。
4. 動画で伝えたいメッセージ：動画を通じて伝えたいメインのメッセージや情報は何か。
5. プロフィール：動画制作者自身のプロフィール、経歴、専門知識。

これらの要素を考慮に入れてコンセプトを作成することで、視聴者が魅力を感じ、再生率が上がる動画を作成することができます。

YouTubeは検索結果でも優先されるため、前述のラッコキーワードで狙うキーワードも事前に明確にしておきましょう。その上で視聴者ターゲット、視聴者の抱えている悩み、動画で伝えたいメッセージを考えてみてください。また、スピーカーのプロフィールも入れることでブランディング要素も加味されるようになります。

そして、今度は魅力的な台本をChatGPTに書いてもらうのですが、その前に理想的な動画の構成についてChatGPTに聞いてみましょう。

筆　者

再生率を上がるYouTube動画の構成を教えてください。

ChatGPT

　YouTube動画の再生率を上げるためのビデオ構成は以下の通り
です。

1. ホック（Hook）：最初の数秒間で視聴者の注意を引きつけるも
   の。これは質問、興味深い統計、視聴者の悩みを代弁、または
   動画の主要なテーマを簡単に紹介することで成り立つことが多
   いです。
2. イントロ（Intro）：ここで挨拶や自己紹介をしたり、チャンネ
   ルの内容を簡単に説明したりします。また、視聴者に何を期待
   すべきかを明示、視聴者の悩みの背景、リスクの解説、悩みに
   共感、動画で解決方法を紹介、動画の全体的な目的を説明しま
   す。
3. 本題（Main Content）：これが動画の中心部で、提供したい情
   報やストーリー、教訓などを伝えます。各ポイントは明確で、
   視聴者が理解しやすいように整理されているべきです。最後に
   結論を魅力的に伝える。
4. まとめ（Summary）：ここで動画の主要なポイントを再度強調
   し、視聴者にとって最も重要な情報を確認します。
5. エンゲージメントの促進：視聴者にコメントを求める、他の関
   連動画にリンクする、投票を促すなど、視聴者の参加を促すセ
   クションを設けます。
6. コール・トゥ・アクション（Call to Action）：これは通常、動
   画の終わり近くに配置され、視聴者に何かを行うように促しま
   す。これは「チャンネルの登録」や「いいねを押す」、「コメン
   トを残す」、「次の動画を見る」などの行動を含むことができま
   す。
7. アウトロ（Outro）：動画を終える部分で、通常は視聴者への

感謝の言葉や、次の動画で何を期待できるかのヒントを含みます。

これらの要素は、あなたのYouTube動画が視聴者の注意を引きつけ、視聴者がビデオを最後まで視聴するのを助けることができます。

この構成をChatGPTに読み込ませ、この条件に見合った台本を作ってもらいましょう。ChatGPTは提供されたトピックに基づいて、視聴者が最後まで視聴したくなるような流れと内容を持つ台本を作成してくれます。

筆　者

以下のコンセプトと構成を理解した上で、再生率を上がる10分程度のYouTube動画の台本を作ってください。

◇コンセプト
　動画のタイトル：編集者に採用される出版企画書の書き方
　動画の内容：出版社の編集者に提案する出版企画書のテンプレートやフォーマットを紹介した上で、必須項目や内容、注意するポイントなど解説する
　視聴者ターゲット：これから出版を目指そうとしている人
　視聴者の抱えている悩み：なかなか企画が採用されない
　動画で伝えたいメッセージ：編集者が書籍の制作費である約300万円を投資したくなる出版企画書を書こう
　プロフィール：1500冊以上の書籍の制作に携わってきた編集者

◇構成

1. ホック（Hook）：最初の数秒間で視聴者の注意を引きつけるもの。これは質問、興味深い統計、視聴者の悩みを代弁、または動画の主要なテーマを簡単に紹介することで成り立つことが多いです。

2. イントロ（Intro）：ここで挨拶や自己紹介をしたり、チャンネルの内容を簡単に説明したりします。また、視聴者に何を期待すべきかを明示、視聴者の悩みの背景、リスクの解説、悩みに共感、動画で解決方法を紹介、動画の全体的な目的を説明します。

3. 本題（Main Content）：これが動画の中心部で、提供したい情報やストーリー、教訓などを伝えます。各ポイントは明確で、視聴者が理解しやすいように整理されているべきです。最後に結論を魅力的に伝える。

4. まとめ（Summary）：ここで動画の主要なポイントを再度強調し、視聴者にとって最も重要な情報を確認します。

5. エンゲージメントの促進：視聴者にコメントを求める、他の関連動画にリンクする、投票を促すなど、視聴者の参加を促すセクションを設けます。

6. コール・トゥ・アクション（Call to Action）：これは通常、動画の終わり近くに配置され、視聴者に何かを行うように促します。これは「チャンネルの登録」や「いいねを押す」、「コメントを残す」、「次の動画を見る」などの行動を含むことができます。

7. アウトロ（Outro）：動画を終える部分で、通常は視聴者への感謝の言葉や、次の動画で何を期待できるかのヒントを含みます。

　これでChatGPTが台本を書いてくれますので、内容などをしっかりとチェックし、修正や改善が必要な箇所がないかを確認したら台本

は完成です。

▶ VrewとChatGPTを組み合わせたビデオ作成手順の解説

　台本が完成したら、次はビデオの作成です。普通に動画撮影をして、動画編集をしてもいいのですが、中には顔出ししたくない人も少なくないと思います。そこで、ここでは顔出しせずにVrewを使って動画を作る方法を紹介します。

　VrewはAIを活用した無料の動画編集ソフトで、AI音声の読み上げ追加したり、字幕（テロップ）の追加・修正したり、翻訳字幕の追加・修正などが可能です。

Vrew
https://vrew.voyagerx.com/ja/

　台本はChatGPTに作ってもらっている訳ですから、これだけの機能があれば顔出しせずに動画を完成させることも可能です。

　そのためには、まずChatGPTによって生成された台本をVrewに入力します。Vrewは、台本のテキストを自動的に音声に変換し、それに合わせて適切な映像を挿入します。また、Vrewは音楽やテキストオーバーレイなどの編集機能も提供しています。Vrewの使用方法は直感的で、特別な技術スキルは必要ありません。しかし、最適なビデオを作成するためには、Vrewの各機能を理解し、それを効果的に活用することが重要です。

▶ ChatGPTによる上位表示を狙うタイトル作成法

動画が完成したら、上位表示を狙う動画タイトルの作成です。ここでもChatGPTが役立ちます。

筆　者

あなたは、無名だけど収益化はできているYouTuberです。

以下の動画のコンセプトを理解した上で、「【キーワード1】【キーワード2】」というキーワードで検索した検索結果で上位表示され、そのキーワードで検索した人がクリックしたくなる魅力的な動画のタイトルを10個出してください

ChatGPTは、SEOに最適化されたタイトルを10個提案してくれるはずです。

そこから、視聴者に誤解を与えるような誇大表現や、実際の動画の内容との乖離があるものは避けましょう。YouTubeのアルゴリズムは視聴時間や離脱率も評価基準に含めているため、そういうタイトルを選ぶことで結果的に評価が下がる可能性があります。

▶ Filesでショート動画も攻略する

最近、YouTubeでもショート動画がよく再生されますし、Instagramのリール TikTokなどもショート動画となります。そこで、YouTubeの長尺の動画だけではなく、ショート動画にも挑戦してみましょう。

ショート動画の作成には、動画作成ツールの一つであるFlikiを使用します。Flikiは非常に直感的なインターフェイスを持つツールで、テキストを入力するだけで短時間で効果的な動画を作成することが可能です。

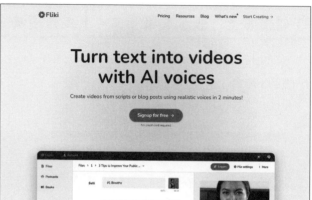

Fliki
.https://fliki.ai/

ChatGPT
CHAPTER
06

ChatGPTでSNS広告や
セールスレターを作る

ChatGPT
SECTION
01
ChatGPTを活用したSNS広告とセールスレター作成のメリット

▶ SNS広告の重要性とChatGPTの役割

　ビジネスを成長させるための一つの鍵は、セールスです。しかし、セールスを行うためには、まず集客が必要。そして、その集客をするためには、SNS広告が重要な役割を果たします。Facebook、Twitter、Instagramなど、これらのプラットフォームは膨大なユーザーを抱えており、その中にはあなたの商品やサービスを必要とするかもしれない人々が数多くいるはずです。

　しかし、SNS広告を成功させるためには、魅力的な広告文言と画像が必要不可欠。それによって初めてユーザーの目を引き、彼らの関心を引き出すことができます。そこで重要となるのが、ChatGPTの活用です。

　ChatGPTは、あなたの商品やサービスを効果的にPRする広告の文言を作成するための強力なツールとなり得ます。特定のターゲットに対して、適切なメッセージを構築することで、広告のクリック率を向上させ、より多くのリードを集めることが可能になります。

▶ ChatGPTはそれぞれの規約に適合したSNS広告文言も作成

　SNS広告を行う上で気をつけなければならないのが、各プラットフォームの広告規約です。これらの規約に違反すると、広告が掲載されず、最悪の場合アカウントが凍結される可能性もあります。そのため、規約に適合した広告文言の作成は非常に重要です。

　ChatGPTは、指示に基づいて広告文言を作成するため、規約を守

った文言作成にも活用することができます。そのためには、広告文言
の作成指示の際に、明示的に規約に適合するよう「○○の広告規約に
違反しないような…」や「以下のURLに記載されている広告規約に
違反しないような…」という一文を加えることが重要です。

▶ セールスレターの重要性とChatGPTの可能性

　SNS広告による集客が成功すれば、次はセールスです。そして、そ
のために必要なのが、成約率の高いセールスレターとなります。セー
ルスレターは、ユーザーに商品の特性やメリット、顧客が抱える問題
とその解決策を明確に提示することで、購買意欲を喚起し、購入を促
します。
　ここでも、ChatGPTの活用が有効です。ChatGPTはその学習デー
タに基づいて、ユーザーが共感できるストーリーや問題解決のための
提案、さらには製品の特性やメリットを緻密に描写する能力を持って
います。そして、そのすべてを一つの統一されたメッセージに組み立
てることで、効果的なセールスレターを作成することが可能です。

ChatGPT SECTION 02 Twitter広告作成に必要な要素の理解と整理

▶ Twitter広告の構成要素の理解

　Twitter広告を作成する際には、広告の目的を設定をした上で、広告の文言、ビジュアル、ハッシュタグを決め、オーディエンスやターゲティングを設定し、予算とスケジュールを確定させたら出稿します。これらのそれぞれの要素は、広告のパフォーマンスに大きな影響を及ぼします。

　広告の文言は、その広告のメインメッセージを伝えるためのものです。それは製品やサービスの特長、その利点、そしてそれが顧客の問題をどのように解決するかを伝えるためのものです。

　ビジュアルは、広告の注目度を高めるためのものです。人間は視覚的な情報に強く反応するため、効果的なビジュアルは広告のパフォーマンスを向上させます。

　ハッシュタグやメンションは、広告のリーチを拡大するためのものです。適切なハッシュタグを使用することで、その広告は特定のトピックに興味があるユーザーに対して表示されやすくなります。また、適切なアカウントをメンションすることで、そのアカウントのフォロワーに対して広告が表示されやすくなります。

　Twitter広告を作成する際には、オーディエンスやターゲティングの設定が非常に重要です。オーディエンスやターゲティングでは、あなたが広告を見せたいと思っているユーザーグループのことを指します。オーディエンスやターゲティングを適切に設定することで、広告の効果を最大限に引き出すことができ、無駄な広告費を抑えることが可能だからです。オーディエンスは性別や年齢、場所でセグメントし、

ターゲティングはキーワードや興味、関心、言語、デバイスなどでセグメントしていきます。ここでしっかりとセグメントすることで、広告のパフォーマンスを向上させことが可能です。

　予算とスケジュールは、広告の効果を最大化するためのものです。あなたのターゲットとなるユーザーが最もアクティブな時間帯や日程に広告を配信します。予算は金額に応じて広告のリーチとエンゲージメントを高めることが可能です。

Twitter広告
https://ads.twitter.com/

▶ ChatGPTを使ったTwitter広告文章作成

　Twitter広告の成功のためには、広告の文言が重要な要素となります。その文言作成にAIの力を借りることで、より効果的で効率的な広告運用が可能です。その中でも、ChatGPTはその高い文章生成能力を活用して、広告文言を生成することができます。

　ChatGPTとTwitter広告の連携は、まずChatGPTに商品のコンセプトを読み込ませ、次に広告の目的やターゲットユーザー、キーワードなどをプロンプトとして与えることから始まります。それに基づきChatGPTは広告文言を生成し、それをTwitter広告の文言として利用します。

あなたは、一流の売れっ子コピーライターです。

以下のコンセプトを理解した上で、つい詳しく知りたくなってクリックしたくなるような魅力的な広告文を以下の条件を踏まえて、10個作ってください。

◇コンセプト

←　　P65で完成した構成案を入れる　　→

◇条件

・140文字以内。
・コンセプトからターゲットに関連性の高い要素を抽出してキャッチコピーに用いる。
・必ずしも講座名やセミナー名を使う必要はない。
・単語数や句読点の数は出力の度に変動する。
・広告文の最後に関連性の高いハッシュタグを3つつける。

　ただし、ChatGPTが生成した広告文言をそのまま使用するのではなく、その文言が広告の目的やブランドのメッセージ、そしてターゲットユーザーに適しているかを確認し、必要に応じて微調整を行いましょう。

1. **広告の目的に適しているか**：広告が目指す目的に対して、生成された文言が適切にアプローチしているか確認します。
2. **ターゲットユーザーに対する魅力があるか**：ターゲットとなるユーザーにとって、魅力的で興味を引く文言となっているか確認します。
3. **ブランドのメッセージに沿っているか**：広告文言がブランドのメッセージや価値観に適しているか確認します。

生成された文言が目的に適していない場合、プロンプトが広告の目的を正確に表現していない可能性があります。その場合、プロンプトを見直し、再度ChatGPTによる文言生成を行います。

また、ChatGPTによる文言生成は一度限りではなく、何度も行うことで、さまざまな表現やアプローチを試すことができます。

▶ 広告のビジュアル要素（画像と動画）の活用法

広告のビジュアル要素は、広告の効果を大きく左右する重要な要素です。人間は視覚的な情報に強く反応するため、魅力的なビジュアルは広告のクリック率やエンゲージメントを向上させる効果があります。

ビジュアル要素として活用できるのは、画像と動画です。画像は広告のメッセージを強調するためのもので、講座やセミナーの写真やイラスト、グラフやチャートなどが考えられます。動画は、講座やセミナーの成果を具体的に示すのに非常に効果的です。

ビジュアル要素を活用する際の注意点としては、視覚的に魅力的であるだけでなく、広告のメッセージと一致していることが重要です。ビジュアルは広告のメッセージを強調するためのものなので、メッセージとビジュアルが一致していないと、ユーザーが混乱し、広告の効果が低下する可能性があります。

▶ キーワード、ハッシュタグ、メンションの活用法

Twitter広告においては、キーワード、ハッシュタグ、メンションを活用することで、広告のリーチを拡大し、ターゲットとなるユーザーに対して広告を効果的に配信することが可能です。

キーワードは、ユーザーがTwitterで検索する際に使用する言葉です。あなたの製品やサービスに関連するキーワードを広告に組み込むことで、そのキーワードを検索するユーザーに対して広告が表示され

る可能性が高まります。

　ハッシュタグは、特定のトピックに関連するツイートをまとめるためのものです。適切なハッシュタグを使用することで、そのハッシュタグに興味があるユーザーに対して広告が表示されやすくなります。

　メンションは、他のユーザーを広告に巻き込むためのものです。例えば、あなたが提携しているインフルエンサーやブランドをメンションすることで、そのアカウントのフォロワーに対して広告が表示されやすくなります。

▶ 広告の予算とスケジュールの選定法

　広告の予算とスケジュールは、広告の効果を大きく左右する重要な要素です。なぜなら、ユーザーがTwitterを最も活用している時間帯に広告を配信することで、広告の視認性を向上させ、予算でリーチ数を最大化させることができるからです。

　予算の選定は、リーチ数に影響を及ぼしますが、かといっていきなり大金を投じてもあまり意味がありません。最初は少額ではじめていき、徐々に成約数が上がって安定してきたタイミングで金額を上げるようにしてください。

　配信時間帯の選定は、あなたのターゲットとなるユーザーの活動パターンに基づいて行います。例えば、あなたのターゲットがビジネスパーソンであれば、通勤時間や昼休み、夜間など、彼らがTwitterをチェックする可能性が高い時間帯を選ぶと良いでしょう。

　日程については、特定のイベントやキャンペーンに合わせて配信することも考えられます。例えば、新製品の発売日やセールの開始日など、その日程に合わせて広告を配信することで、ユーザーの関心を引きつけることができます。

▶ 広告の反響分析とその結果をChatGPTへフィードバックする方法

　広告の反響分析は、広告の効果を評価するための重要なプロセスです。具体的には、広告のクリック数やインプレッション数、コンバージョン数などの指標を分析し、広告の効果を定量的に評価します。

　また、広告の反響分析の結果のデータをCSV形式でエクスポートし、それをChatGPTに読み込ませると、ChatGPTに分析してもらうことやアドバイスをもらうことも可能です。また、その内容を次回の広告文言生成やプロンプトの作成に反映させることで、広告の効果を継続的に向上させることも可能となります。

Facebook広告、Instagram広告作成に必要な要素の理解と整理

▶ Facebook広告、Instagram広告の構成要素の理解

Facebook広告、Instagram広告にはいろいろな広告の種類がありますが、ここでは代表する画像、動画、ストーリーズ広告について紹介し、それぞれ異なる目的と利点を解説していきます。

画像広告は最も基本的な広告形式で、商品やサービスの魅力を一瞬で伝えることができます。高品質な画像と効果的なコピーライティングを組み合わせることで、読者の興味を引き付けることができます。

動画広告は、製品の使い方やサービスの体験を視覚的に示すのに最適です。また、ブランドのストーリーテリングにも効果的で、視聴者の感情に訴えることが可能です。

ストーリーズ広告は、全画面表示で視覚的に訴えることができ、ユーザーの没入感を高めることができます。また、Swipe-Up機能を利用することで、ユーザーを直接商品ページやランディングページに誘導することができます。

基本的に、一番使い勝手が良く、コストパフォーマンスがよいのが画像広告です。

では、このFacebook広告とInstagram広告を作成する際に必要な要素を紹介していきます。それは、広告の見出し、本文、画像または動画、リンク先などです。これらの要素は、広告のパフォーマンスに大きな影響を及ぼします。

広告の見出しは、広告のメインメッセージを伝える部分で、視覚的に目立つ位置に配置されます。読者が広告をクリックするかどうかを

大きく左右する重要な要素です。

　広告の本文は、見出しを補完する形で詳細な情報を提供します。製品やサービスの特徴、キャンペーンの詳細、ブランドのストーリーなど、読者に知ってもらいたい情報を具体的に伝えます。効果的な広告本文は、読者の興味を引きつけ、行動を促す力があります。

　画像または動画は、広告の視覚的な要素で、テキスト内容を強調し、読者の注目を引きつけます。人間は視覚的な情報のほうが速く理解しやすいため、鮮やかな画像や動画は広告の効果を大幅に高めることができます。

　リンク先は、広告クリック時に読者を導くウェブページのURLです。通常、商品ページ、ランディングページ、ブログ記事などがリンク先となります。リンク先のページは、広告のメッセージと一致し、読者にとって価値ある内容を提供することが重要です。

　これらの構成要素を理解し、それぞれが持つ役割を理解することで、Facebook広告とInstagram広告の作成がスムーズになります。

Facebook広告、Instagram広告
https://www.facebook.com/business/tools/ads-manager

▶ FacebookとInstagramの違いを踏まえたターゲット設定の重要性

　FacebookとInstagramは、ユーザー層や利用シーンが異なります。Facebookは幅広い年齢層が利用し、情報共有やコミュニケーションに重点が置かれています。一方、Instagramは若年層の利用が多く、

ビジュアル中心のコンテンツが主流です。これらの特性を理解することで、どちらのプラットフォームが広告の目的に適しているか判断することができます。

　具体的なターゲット設定の方法としては、まず商品やサービスを必要とする人物像を明確にします。その後、その人物像に合致するFacebookやInstagramのユーザー層を選定します。例えば、若者向けのファッションアイテムを販売する場合、ビジュアルが重要となるため、Instagramの利用が適しているでしょう。一方、地元のイベント情報を広める場合は、地域コミュニティが形成されやすいFacebookが有効です。

　そして、選定したユーザー層に対して広告を配信する設定を行います。

▶ Facebook広告、Instagram広告の目的とターゲットを明確化する

　広告作成の最初のステップは、広告の目的とターゲットを明確に定義することです。これは広告の方向性を決定する重要なステップとなります。ここでは、ChatGPTにプロンプトを入力し、広告の目的とターゲットを具体化する文章を生成させましょう。

　例えば、先に商品のコンセプトを読み込ませた上で、「これから、○○という商品を【ターゲット】にセールスするためのセールスページに誘導するFacebook広告を作成します」というような前提をChatGPTに入力しておきます。

▶ Facebook広告、Instagram広告の引き立つ広告の見出しの作成方法

　広告の見出しは最初の印象を決定し、視聴者の注目を引くための重要な要素です。ChatGPTは、指定したプロンプトに基づいて、クリエイティブで引き立つ広告の見出しを生成することができます。

筆　者

あなたは、一流の売れっ子コピーライターです。
以下のコンセプトを理解した上で、ターゲットが見たらハッと
するような当事者意識がもてる13文字以内のキャッチコピーを10
個作ってください。

◇コンセプト
　　←　P65で完成した構成案を入れる　→

　あとは、ChatGPTが作成したキャッチコピーから一番良さそうな
ものを広告の見出しとして使いましょう。もちろん、必要に応じて微
調整はするようにしてください。

▶ Facebook広告、Instagram広告の読者を引きつける広告本文の作成方法

　キャッチコピーが視聴者の注目を引く役割を果たす一方で、広告の
本文は視聴者に広告の詳細情報を提供し、行動を促す役割を果たしま
す。本文は具体的な商品のコンセプトや詳細、特徴、利点などを明示
します。また、視聴者を引きつけるためにはセールスレターの論理展
開が有効です。セールスレターの論理展開にはいろいろありますが、
AIDMAの法則、PASONAの法則、新PASONAの法則、PASTORフ
ォーミュラ、QUESTフォーミュラなどは、ChatGPTも理解している
ので、構成を読み込ませなくても、「PASONAの法則を用いて書いて
ください」と指示すれば生成してくれます。

筆　者

あなたは、一流の売れっ子コピーライターです。
以下のコンセプトを理解した上で、広告の本文で利用する文章
をPASTORフォーミュラを用いた文章で書いてください。

◇コンセプト
　　←　P65で完成した構成案を入れる　　→

◇条件
　・コンセプトからターゲットに関連性の高い要素を抽出してキ
　　ャッチコピーに用いる。
　・必ずしも講座名やセミナー名を使う必要はない。
　・単語数や句読点の数は出力の度に変動する。

　商品やターゲットによって、どの論理展開が良いのか分からないの
で、一通り作ってみて、確認してみましょう。一番説得力のある論理
展開を選択したら、文章の内容を確認し、必要に応じて微調整してか
ら使ってください。

▶ Facebook広告、Instagram広告の効果的なビジュアルを選定

　ビジュアルは広告の重要な要素であり、視覚的な情報は人間が情報
を処理する上で重要な役割を果たします。広告の画像やビデオは視覚
的に訴え、視聴者の興味を引き付けることができます。しかし、ビジ
ュアルの選択は必ずしも容易な作業ではありません。それは視覚的な
要素が広告のメッセージと一致していなければならないからです。

筆　者

　あなたは、成果を出すことで有名な広告クリエイターです。
　以下のコンセプトを理解した上で、広告で利用するビジュアル
のアイデアを10個作成してください。

そのアイデアをCanvaの画像生成AIで作ってもらいましょう。

▶ Facebook広告、Instagram広告の効果的な配信時間帯と日程の選定法

広告の配信時間帯と日程は、広告の効果を最大化するために重要な要素です。ターゲットとするユーザーが最もアクティブな時間帯に広告を配信することで、広告の露出を増やし、クリック率を高めることができます。

FacebookやInstagramでは、ユーザーのアクティビティを分析するツールが提供されています。これを利用して、ユーザーが最も活発な時間帯を把握し、その時間帯に広告を配信します。

また、特定の日程やイベントに合わせて広告を配信することも効果的です。例えば、セールや新製品のローンチ、季節のイベントなどに合わせて広告を配信することで、ユーザーの関心を引き付けることも可能となります。

▶ 広告効果の分析と改善のためのステップとChatGPTの再活用方法

広告キャンペーンは一度設定したら終わりではなく、継続的な分析と改善が求められます。広告のパフォーマンスを分析し、それに基づいて広告の改善を行うことで、より効果的な広告にすることができます。

ChatGPTは広告の改善にも活用できます。広告のパフォーマンス分析から得られた情報（例えば、特定のキーワード、ビジュアルが高いエンゲージメントを生んだ、特定のターゲット層が反応が良かったなど）を元に、新たな広告テキストの生成をChatGPTに依頼することができます。

ChatGPT SECTION 04 セールスレター作成のための具体的な素材の準備方法

▶ セールスレターの重要性とその具体的な構成

　セールスレターとは、商品やサービスの価値を具体的に伝え、顧客の問題を解決する手段としてその価値を提示するものです。セールスレターを作成する際には、自身の個性や品格、そして何より顧客への深い理解を反映させることが重要です。

▶ ChatGPTを活用して効果的なセールスレターを作成する方法

　ChatGPTは、セールスレター作成にも活用できます。事前に成約率が高いセールスページの論理展開を理解させた上で、商品のコンセプト、詳細を読み込ませることで、それに応じたセールスレターを生成します。

> **筆者**
>
> 　次のコンセプトとプロフィールを読み込み、構成要素にしたがって、成約率が高いセールスレターの構成を以下の条件で作成してください。
>
> ◇コンセプト
> 　←　P65で完成した構成案を入れる　→
>
> ◇プロフィール
> 　大手出版社で雑誌・ムック・書籍の編集者として勤務。その後、

編集プロダクションを立ち上げ、1500冊以上の書籍の制作に携わり、並行して出版コンサルタントとしても活動中。日本全国から多くの著者を輩出する手腕には定評がある

◇構成要素

【0．キャッチコピー】

　読者が、自分にとって価値があるものだと判断できる魅力的で刺激的なキャッチコピーを５つ書く

「え？」「本当に？」「 マジで？」のような感情を揺さぶるような言葉を入れること

【1．エビデンス】

　キャッチコピーで書いたことの証拠や裏付け、理由などを書く

　お客様の声やビフォーアフターなどでもOK

【2．スリップイン】

「これは自分のことだ」「まさに、自分のことを言われている」と思わせるような導入の文章を書く

　煽ったり、危機感を与え、あたかも「あなたのことですよ」と思ってもらえるように書く

【3．自己紹介】

「初めまして出版実現コンサルタントの山田です」という書きはじめから、自己紹介を書く

「なぜ、この仕事をやっているんだろう？」「なぜ、この仕事ができるんだろう？」という疑問を解消し、権威性を持たせて「こんなに凄い人なんだ」と思ってもらえるように書く

【4．なぜこの商品を作ったのか】

挫折をして、そこから成功し、その成功に至ったノウハウを体系化した講座であるというストーリーで読者に共感を与え、このサービスに興味を持ってくれた人へ向けて開発秘話を書く

【5．商品の詳細説明】
　講座の説明をかなり具体的に書く
　受講料から、受講生の満足度が高くなるような、PDFのページ数、動画の収録時間、サポート体制などをまとめる
　それぞれの内容や得られるメリットも一緒に書く

【6．ターゲットを絞る】
　この講座を必要としている人が抱えていそうな悩みを7つ書く
　その悩みが深刻な問題であることを伝え、どんなに大きな問題になるかも7つ書く
　この項目だけ三人称で書く

【7．価格とその正当性】
　金額は、〇円
　価格を提示し、なぜその価格なのかを読者がその金額に納得できる理由を書く
　また、類似講座と比較して、その優位性も書く

【8．申込ボタン】
「申し込みはこちらをクリック」と書く

【9．購入者の感想】
　7人以上の感想を書く
「どういうことに悩み」「この講座でどんなことを学んだこと」「どうなれたのか」という論理展開で具体的に書く

書いてくれた人の性別・年代・職業・都道府県も一緒に書く

【１０．よくある質問】
　ターゲットの読者がどんなことに疑問が出るのかを想定して、
１０個書き出す
　購入したあとの手続きについて、初心者でもできるのか、キャ
ンセル規定、支払いの流れ、クレジットの分割手数料、商品受け
取り方、サポートについて、などの質問は多い

【１１．追伸】
　最後に、ここまで書いた文章をまとめて、「つまり、こういうこ
とです」と講座に申し込んで欲しい人に向けて、自分の熱い想い
を伝える

◇条件
　・自分のことは「私」、読者のことは「あなた」にする
　・お客様へのラブレターのつもりで、心を込めて書く

　生成された文章を読んでも感情が動かなかった場合、ここも誰か作
家を指定して書き直してもらいましょう。

　そして、このChatGPTが生成したセールスレターに実際にアクセ
スを流してみましょう。満足できる成約率が得られなかった場合、適
宜、テコ入れをしながらブラッシュアップをしていきます。
　ChatGPTが生成したセールスレターですから、一回で完璧なもの
が上がってくることはありません。むしろChatGPTが生成したセー
ルスレターを一緒に育て上げていくぐらいの気持ちで取り組みましょ
う。

著者紹介

山田 稔（やまだ みのる）
現役書籍編集者、出版実現コンサルタント
千葉県出身ブラジル育ち。出版社で勤務後、編集プロダクションとして独立して20年以上書籍編集者として活動中。その間、1500冊以上の実用書の制作に携わる。
また出版実現コンサルタントとしても活動しており、圧倒的な商業出版実現率を誇る。なかでもビジネスにつながる企画立案には特に定評があり、著者の出版後の飛躍に大いに貢献している。
大好評の出版セミナーは、受講料（2日間3万円）だけで企画書添削から出版社へ売込みまでを完全サポート。全国の参加者から著者を輩出し、数々のベストセラーも手がける。自らも著者として活動中。著書には『ひとりではじめるコンテンツビジネス入門』『書籍編集者が教える 出版は企画が9割』（つた書房）などがある。
https://shuppanproduce.jp/
https://shuppanproduce.com/
info@shuppanproduce.jp

コンテンツホルダーのための
Chat GPT超入門
2023年6月30日　初版第1刷

著　者	山田 稔
編集・制作	ケイズプロダクション
発行者	籠宮啓輔
発行所	太陽出版
	東京都文京区本郷3-43-8　〒113-0033
	TEL 03（3814）0471　FAX 03（3814）2366
	http://www.taiyoshuppan.net/
	E-mail info@taiyoshuppan.net

ISBN978-4-86723-137-1